DEPOIS A LOUCA SOU EU

TATI BERNARDI

Depois a louca sou eu

7ª reimpressão

Grafia atualizada segundo o Acordo Ortográfico da Língua Portuguesa de 1990, que entrou em vigor no Brasil em 2009.

Capa
Cleber Rafael Campos

Preparação
Márcia Copola

Revisão
Thaís Totino Richter
Ana Maria Barbosa

Dados Internacionais de Catalogação na Publicação (CIP)
(Câmara Brasileira do Livro, SP, Brasil)

Bernardi, Tati
Depois a louca sou eu / Tati Bernardi ; — 1ª ed. — São Paulo : Companhia das Letras, 2016.

ISBN 978-85-359-2657-6

1. Crônicas brasileiras 2. Relatos pessoais I. Título.

16-00026 CDD-869.8

Índice para catálogo sistemático:
1. Crônicas autobiográficas : Literatura brasileira 869.8

[2021]

EDITORA SCHWARCZ S.A.
Rua Bandeira Paulista, 702, cj. 32
04532-002 — São Paulo — SP
Telefone: (11) 3707-3500
www.companhiadasletras.com.br
www.blogdacompanhia.com.br
facebook.com/companhiadasletras
instagram.com/companhiadasletras
twitter.com/cialetras

DEPOIS A LOUCA SOU EU

Sempre que tenho uma crise de pânico, a fantasia mais maluca é a de que vou me desintegrar até deixar de existir. É como se no chão abrisse uma espécie de ralo e eu começasse a rodopiar antes de sumir no buraco. É como se eu fosse um saco de bolinhas de gude que alguém roubou e, na fuga, deixou cair. Na queda, o saco se abriu (parecia tão bem amarrado, mas era mambembe, caseiro, lacinho de bem-casado após dias esquecido numa bolsa de festa), e todas as bolinhas saíram em disparada pelo mundo, cada uma para um canto, até elas se tocarem de que não tinham vida suficiente para ir até o fim tão separadamente das outras bolinhas, para descansar em gritante imobilidade em bueiros, no meio do esgoto, no meio do que mandamos para debaixo do tapete. Milhares de fragmentos vergonhosos escondidos que, quando amarrados pelo medo, formavam um princípio de equilíbrio e boa intenção humana.

Escrevo para saber que tenho bordas, como um morto na cena do crime. Talvez escrever me salve diariamente de não enlouquecer de verdade e eu possa continuar mesclando estes dias em que ape-

nas pago contas e dou de comer à minha cachorra com outros em que escuto batimentos cardíacos tamborilando pelas paredes da casa enquanto tento em vão descolar a língua do céu da boca. Mas talvez eu sofra de ansiedade intensa justamente porque transformei uma ansiedade "o.k. pra mais" em personagem e piorei tudo. Será que dei vaidade a um mero prolapso da válvula mitral? O fato é que, quando comecei a escrever, foi para não me assustar tanto guardando tanto só para mim. Mas não é só isso.

Tem muita arrogância em se esfaquear em praça pública. Achar que suas veias e fezes e sangue importam a ponto de serem mostradas para alguém. Um amor materno por você mesmo, "já te contei do cocô do nenê?". A plaquinha "olhem, estou cagado" tem muito de arte, de rir de você mesmo antes que alguém ria, de coragem, de cara pra bater.

Mas tem algo de pavoroso nisso, de perverso. Para aturar o monstro-criança que mora no meu estômago, toda hora eu faço um teatro macabro comigo: "vai lá, mostre o que sabe fazer, diga algum absurdo pra entreter esse jantar insuportável antes que eu me mate". E lá vou eu, me expor até que todos estejam se divertindo muito com meus destemperos, empanturrados das minhas mazelas, enquanto eu preciso andar me apoiando em paredes, tão esvaziada e nua e com frio que só sobrou uma enxaqueca para me levar até em casa.

Quem tem muito medo de se desintegrar, sofre também de perseguições pretensiosas como "e se todos estiverem falando de mim?". Daí o pânico. O pânico é essa interseção entre a certeza absoluta de que você não importa nada para o mundo e a certeza absoluta de que todos estão comentando o fato de você não importar nada para o mundo. Um medo do palco lotado, só que todos estão te assistindo pelas costas.

Uma vez fiz uma promessa. Eu havia me apaixonado por um homem casado e ele tinha, naquele dia, saído de casa "pra ficar comigo". Largou mulher desesperada, criança chorando, mãe ameaçando infartar, amigos indicando terapeutas para sua crise de meia-idade, e me ligou de um quarto de hotel no Rio de Janeiro e disse: "venha". Eu fiz a mala mais rápida do mundo, comprei a passagem mais cara do mundo e entrei no avião, apesar da minha fobia imensa de qualquer deslocamento mais acentuado, sem me dar conta de que estava caindo granizo. As pedras esmurravam a janela. Eram quatro da tarde, mas parecia a madrugada mais madrugada do inverno mais invernal da Islândia. O piloto se desesperou com a violência da chuva "de lado" que estapeava a fuça do avião e resolveu que voltaríamos a Congonhas. Ao chegar lá, o avião arremeteu e foi tentar pousar em Campinas. A cena que nunca esquecerei: aeromoças de mãos dadas. Foi quando tive certeza: eu merecia morrer. Tinha separado aquele bom homem de sua família. As crianças choraram. Tinha separado outros bons homens de suas famílias ao longo de minha vida. As crianças choraram. Aquele avião estava praticamente vazio, sem mulheres grávidas, sem bebês, a única criança era um pré-adolescente marrento. Aquele avião iria cair. Ele estava cheio de velhas com cara de que tinham separado, ao longo de suas vidas, bons homens de suas famílias. As crianças certamente choraram. Aquele avião estava fadado ao insucesso. Programado para a queda. Tentei fazer o celular pegar, precisava dizer à minha mãe: "desculpa todas as vezes que te empurrei contra a parede, era amor também". Precisava falar para o tiozinho voltar com a mulher porque, mesmo que agora nossa relação fosse a mais "verdadeira e infinita do universo", acabaria em algumas semanas. As aeromoças continuavam de mãos dadas. As pessoas não choravam nem gritavam, algumas até liam revistas e cobravam o serviço de bordo. Tem gente que é fria até para morrer! Tem gente que acha que o importante é ser chique até na hora de explodir em meio a um vendaval. Que gente maravilhosa, essa. Eu já estava na oitava negociação com o meu intestino: "segura mais um pouco, não quero morrer sozinha naquele banheiro minúsculo", no vigésimo vômito que esperava para dali a pouco, com as palmas, as duas, unhadas, com o cabelo preso em coque porque o suor frio da nuca tinha emaranhado tanto os fios que eu parecia ter sido eletrocutada.

Foi quando fechei os olhos e prometi: "se eu sobreviver, vou escrever um livro sobre o medo".

Síndrome da fuga repentina

A praia Preta fica a menos de três horas de casa. Mas, como é Ano-Novo, a praia Preta pode ficar a mais de dez horas de casa. A praia Preta pode ficar a "não dá pra chegar em casa" de casa dependendo do dia e da hora que eu decida voltar. A praia Preta pode ficar a "quem teve essa ideia de merda?" dependendo da hora que eu decida ir. A praia Preta, tranquila, não badalada, não conhecida, dentro de um condomínio de casas familiares com labradores e bebês, no Litoral Norte de São Paulo, pode ficar a "sério que você vai pra Marte de triciclo trajando apenas sua carne viva?" de casa.

Se eu fosse realmente explicar (como se explicar não alimentasse ainda mais um ciclo que é apenas ansiedade e que piora quando alimentado), diria que pode acontecer muita chateação. Por exemplo, semana passada. A reunião era para durar "uma horinha", mas durou duas. O percurso de Higienópolis até em casa era para durar vinte minutos, mas havia muito trânsito e durou mais de quarenta. Tudo isso atrasou muito um xixi programado desde a metade da reunião, e também impediu que eu tirasse logo uma calça que estava me apertando muito. A soma de "segurar xixi" com "calça apertada" com "suar de muito calor" com "nervoso de não conseguir chegar logo em casa para fazer xixi e tirar logo a calça apertada e molhada de suor" me deu candidíase. A candidíase me deu dor lombar e enjoo. Fiquei um dia inteiro meio pra baixo, querendo deitar, os olhos ardendo. Cândida dá uma deprimida. A sensação de que somos mais abertas do que gostaríamos. Agora me diz se eu não estivesse em casa, pertinho da minha chaleira, da minha cama, do Onofre em Casa, do meu ginecologista, do banheiro.

Por exemplo, semana retrasada. Eu comi o melhor polvo de todos os tempos. E, porque era o melhor polvo de todos os tempos, comi muito. Onze da noite, tive uma daquelas dores de barriga que dão calafrios e arrepios e você teria tempo de ler *Grande sertão: veredas* no banheiro caso tivesse alguma condição de ler algo em vez de ficar se contorcendo. Se abraçando como se dissesse o tempo todo para si mesmo: "eu estou aqui com você". Agora me diz se eu não estivesse em casa, pertinho da minha chaleira, da minha cama, do Onofre em Casa, do meu gastroenterologista, do banheiro.

Por exemplo, mês passado. Eu briguei feio com uma das minhas melhores amigas. Um pouco porque ela mereceu, mas muito porque a verdade é que tenho um pouco de mania de perseguição. A verdade é que tenho muita mania de perseguição. E criei na cabeça uma história de que ela não estava sendo legal. Bastava eu dizer que estava triste, mas eu disse outras cinquenta e seis coisas que para mim queriam dizer: "estou triste" e para ela queriam dizer: "vou te foder, sua vaca" e para nós, depois, acabaram querendo dizer que sou maluca. E a gente brigou feio. E eu fiquei com muita gastrite e um pouco de labirintite e ninguém vem me dizer que não foi o fígado, porque fígado pode até não doer mas é quem dá tontura e é quem mais sofre quando a gente está sofrendo. Aquilo que parece a boca do estômago, ninguém me tira da cabeça que é fígado. Isso, meu pai me ensinou. Agora me diz se eu não estivesse em casa, pertinho da minha chaleira, da minha cama, do Onofre em Casa, da minha analista, do banheiro.

Se eu fosse realmente explicar, diria que hoje mesmo eu tive uma daquelas enxaquecas insuportáveis que começam com dor no pescoço que começa com uma tensão típica dos dias em que terei enxaqueca. Fiquei muito enjoada e deitei no escuro com a cabeça para fora da cama, para alongar o pescoço. O que piorou a enxaqueca, porque acho que mandar mais sangue para um lugar que já me parecia inchado não foi bom negócio. Agora me diz se eu não estivesse em casa, pertinho. Você já entendeu. Essas coisas dão uma segurança, é isso que eu quero dizer.

Pode parecer papo de velha, e claro que a coisa piora com a idade. Mas eu já pensava essas coisas aos quinze anos. Eu sempre pensei essas coisas, desde que comecei a pensar coisas. Aos vinte viajei com um namorado para Ilhabela e ele estava realmente preocupado se no dia seguinte "ventaria mais ao norte", ou algo parecido, para ele praticar kitesurf. "Olha bem pra minha cara", eu queria dizer a ele. Eu estava preocupada se meus pais morreriam antes do Natal, mesmo ainda sendo eles muito jovens e saudáveis (e sendo ainda jovens e saudáveis até hoje). Estava preocupada se acordaria às quatro da manhã com um ataque intenso de pânico que inviabilizaria estar naquela pousada, namorar, tomar café, ter amigos, trabalhar, ser promovida, ser promovida de novo, ter um parto normal, ter mais um filho, ir passar o Natal na casa dos pais de um marido "x", andar pelas ruas, fazer compras num supermercado, envelhecer na companhia de alguém, ter alguém próximo a mim no dia da minha morte, não sentir dor ao morrer, ter alguém que eu amasse muito e com quem pudesse ficar muito à vontade para gemer de dor e talvez estar meio suja e talvez precisar de ajuda para ir ao banheiro no dia que eu bem velhinha tivesse que morrer.

E ele preocupado com o vento de Ilhabela. Ele era bem bonito, mas realmente fiquei me perguntando de que me servia tudo aquilo. A pousada, o fato de ele ser bonito, a praia. A festa que haveria no dia seguinte, com todos aqueles "jovens" amigos dele, "você vai adorar". Daí eu perguntava o que eles faziam da vida e ele não entendia por que eu perguntava isso. E daí se uma das meninas não trabalha, se um dos caras trabalha com o pai numa empresa em que o próprio pai não trabalha e muito menos o filho que trabalha com o pai? E daí que eram apenas jovens querendo curtir? Eu a noite inteira tentando ter um pouco de conversa de verdade com algum daqueles "jovens". Queria perguntar a uma das meninas bêbadas amigas dele: "e você tem mais angústia em que hora do dia?". Eu desistindo deles, talvez meio enjoada, trancada no banheiro, deitada no geladinho com as pernas em cima do bidê, algo como "parece o fim dos tempos, mas sou só eu querendo que a minha pressão volte". Ele estava preocupado com o vento e me dizia o quanto eu ia adorar seus amigos.

Já está tudo combinado para o Ano-Novo na praia Preta. Cada um dos nove amigos paga quatro mil duzentos e quarenta reais. Nesse valor estão inclusos aluguel de uma casa enorme de frente para a praia, limpeza feita pelo caseiro por seis dias, almoço e jantar feitos pela mulher do caseiro por seis dias, e muitas bebidas alcoólicas que certamente vão acabar antes. Pensei em pedir um desconto porque não bebo. Mas ninguém gosta de dificuldade na hora de dividir uma conta. Nem eu. Prefiro pagar a mais a ficar com uma calculadora atrás dos outros. Mas, quando a bebida acabar no quarto dia e todo mundo for dar mais dinheiro, espero que tenham a decência de não me pedir. Porque não bebo. E talvez esse pensamento nem seja necessário, porque muito provavelmente no quarto dia já não estarei na casa.

O quarto dia é dia 30 de dezembro. Imagina o vazio da estrada nesse dia. Ninguém volta da praia um dia antes da virada do ano. Ninguém volta da praia um dia antes de fazer o que foi fazer na praia. É por isso mesmo, porque ninguém vai travar minha passagem, que estou pensando em voltar no dia 30. Vão achar estranho, eu sei. O cara que estou levando comigo "numas de namorado mas ainda estamos nos conhecendo" talvez fique meio enojadinho, talvez apenas me ache misteriosa. Os outros vão balançar a cabeça enquanto estou ali e "falar de mim" depois que eu me for. Vão comentar: "que puta doida, podia estar aqui agora com a gente" quando estiverem bêbados pulando ondinhas e se achando mais que felizes e mais que espertos. Mas tudo isso é melhor que seis dias ininterruptos pensando: "e se eu quiser ir embora agora, vão travar minha passagem?". Talvez eu aguente esse pensamento por dois dias, talvez por nenhum. Nem por um único dia. Eu nem gosto de Ano-Novo. Eu tenho, na verdade, pavor de Ano-Novo. Eu nem realmente gosto das pessoas que vão nessa viagem. Eu nem gosto desse namorado. Então talvez, e, agora sim, esta é uma decisão muito verdadeira e séria, eu nem vá. Não vou, acho.

Apesar do valor alto, estou tranquila em desmarcar a viagem e pagar mesmo assim. Ou em ficar apenas quatro, dos seis dias, e pagar a quantia inteira, mesmo assim. Ou em ir num dia, voltar no outro, e pagar os quatro mil duzentos e quarenta reais, mesmo assim. Se bem que é uma sacanagem comigo, pagar por algo que talvez eu não faça. Mas é uma sacanagem com os outros desistir em cima da hora. Talvez eu vá de manhã e no fim da tarde já queira voltar. Porque eu posso voltar. É importante que eu saiba disso, que fique muito claro, que fique claro para todo mundo. É importante que eu chegue por último, para o meu carro ficar mais perto da saída. É importante que não travem meu carro, caso eu queira ir embora de madrugada (não quero incomodar, acordar os outros). Vou porque quero e volto quando quero. Mesmo que seja meio doente voltar duas horas depois de chegar. Ainda assim posso voltar. E é bem capaz que eu volte. Talvez não duas horas depois, porque nem é muito seguro, preciso descansar. Mas posso dormir um pouco e voltar. Talvez eu simplesmente vá embora, deixe um bilhete, escolha a pessoa de quem gosto ao menos um pouco e avise: "minha mãe tá mal". Não é exatamente uma mentira, nunca é, minha mãe e meu pai nunca estiveram exatamente *bem* em todas essas décadas. Quem é que está de fato cem por cento bem qualquer que seja o dia e a idade e a década? Então não é exatamente mentira.

Vou fazer a mala para seis dias, apenas para o caso de "e se". Mas já meio que negociei, só comigo, claro, que ficarei metade disso. Ou um terço. E tenho essa opção maravilhosa, muito cristalina, muito real, muito ensolarada, muito possível, de, quando chegar o dia, não ir. Ou de, no meio da estrada, indo, voltar. Mas farei a mala, comprarei protetor solar, calcinha branca, uma canga enorme para me refestelar na areia. Legumes, frutas e ovos orgânicos (porque sei que vão ignorar meu pedido de "somente comida orgânica", então vou me garantir). Aliás, como farei isso sem que achem que estou segregando minha comida? Não sei. Está vendo? Coisa demais para pensar, coisa demais para lidar. Seis intermináveis anos em Marte, em carne viva, correndo o risco de travarem meu carro, travarem a estrada, travarem minha saída com frases como "fica aí, doida". Como se faz para ir a qualquer lugar sem achar isso gigantescamente insuportável? Sem ficar cansada antes mesmo de ir?

Vou com meu carro, mas, para o caso de "dar uma merda com o carro ou dar uma merda com a minha capacidade de dirigir ou dar uma merda com o namoradinho de quem eu nem gosto e ele precisar ficar com meu carro", descubro pelo Google um único ponto de táxi na praia Preta e ligo para o Jerônimo. Jerônimo diz que está de férias. "É férias, moça. É Ano-Novo." Eu digo que é uma emergência e que posso pagar quinhentos reais, pergunto se ele pode me indicar alguém. Ele rapidamente indica a si mesmo.

Explico que vou para a praia Preta no dia 27 de manhã, mas a qualquer momento posso precisar voltar. Minto que minha mãe está internada num hospital, fazendo exames, e que, a depender da gravidade do resultado deles, vou precisar voltar com urgência. Mas vou precisar voltar na hora exata em que precisar voltar. Pode ser, inclusive, de madrugada. Pode ser durante o almoço. Eu preciso ligar e saber que, quinze minutos depois do segundo em que eu ligar, ele estará na porta da casa. Ele topa. Diz que tem pai doente e entende. Me dá o número do celular dele. Antes de sair, mando uma mensagem para confirmar que nossos celulares estão sabidos e salvos e são aqueles mesmo. Vejo a foto dele, parece boa gente. Ele responde um "vai com Deus". Faço terapia há mais de dez anos, mas só consigo ir para a praia Preta por causa do Jerônimo. Preencho um cheque com o valor de quinhentos reais só para o caso de "estar ansiosa demais pra preencher um cheque", e vou. Só por causa do cheque consigo ir.

Na estrada penso que meu pai não vai para a praia, vai passar o Ano-Novo sozinho com seu cachorro. Outro cachorro, porque o primeiro morreu. Na estrada penso que minha mãe não vai para a praia, vai passar o Ano-Novo sozinha com sua cachorra. Outra cachorra, porque a primeira morreu. A primeira cachorra morreu e fico triste. Penso na minha analista dizendo: "você precisa ter a sua vida". Com quem será que minha analista vai passar o Ano-Novo? O Ano-Novo joga uma bomba na cidade e todas as formigas correm para fora de suas vidas e isso é triste e assustador. Meus pais estão envelhecendo e isso é triste e assustador. Eles não gostam muito de festa, mas ao mesmo tempo gostam e preferem ficar sozinhos, mas ao mesmo tempo não preferem e isso é triste e assustador. Eu ainda não tive filhos e seria bonito passar o Ano-Novo com um filho. E talvez meus pais ficassem mais felizes com um neto. Mas agora o que tenho são amigos na praia e isso é triste e assustador. Uma coisa boa e feliz e verão e festa ser tão triste e assustadora me deixa muito triste e assustada. Estou cada vez mais longe de casa, mas, ao chegar lá, ainda será perto. Vou conseguir. Dia 1º, não. Melhor dia 2. Dia 2 está aí. E as pessoas voltam e vão retirar a bomba do meio da cidade. E meus pais estarão sozinhos, cada um numa casa, com seus cachorros, passando a noite do dia 2, sozinhos, com seus cachorros. Mas aí tudo bem, porque não tem fogos. São os fogos, acho, que deixam tudo com cara de "festejo solene e obrigatório". Os fogos, quando não estamos comemorando, são como tiros de canhão no peito, lembrando como somos sozinhos e tristes e assustados. São como estouros de tímpanos porque nossa solidão e tristeza e susto não suportam os sons tão altos dos outros em solenes festejos obrigatórios. Lembrando que cachorros morrem e famílias se desfazem e pessoas, por causa da bomba que foi jogada no meio da cidade, fogem como formigas. Mas dia 2, qualquer coisa, eu estou por perto. Na verdade, antes, bem antes. Talvez eu volte agora. Acho que não vou.

A primeira crise

Minha primeira crise de pânico foi no Aeroporto de Paris.

Eu estava com o desodorante bem vencido, apavorada porque nunca tinha viajado sozinha e o macaquinho pendurado na minha mochila me deprimia demais. Ele ia e voltava numa melancolia assustada que só olhos estatelados de borracha poderiam traduzir. Me toquei de que todos nós morreríamos, minha mãe morreria, eu morreria, aquele casal na minha frente morreria, o cara que eu estava tentando esquecer (e que ideia ir sozinha para Paris!) morreria, o bebê cantor Jordy talvez já tivesse morrido, porque nunca mais se falou dele, e comecei a de fato passar muito mal.

Li a indicação *sortie* como "você tem sorte, você vai sair daqui". É um trocadilho besta, mas realmente achei que longe do aeroporto me sentiria melhor. Aeroporto é um lugar péssimo porque soma as cinco coisas mais terríveis do mundo: despedida, fila, ser humano, placa indicativa e esperança.

Nos minutos e meses seguintes minha vida foi uma sucessão de saídas que jamais resultavam em bem-estar. Eu estava sempre prestes a correr de qualquer novo e idealizado esconderijo. Já não existia aconchego sem vertigem nem quando eu chafurdava o nariz no travesseiro. O cheiro do sebo da minha cabeça, que sempre me dera uma sensação de segurança, era agora estranho.

Marquei um psiquiatra na alameda Itu. É mais fácil falar que é medo de avião. Avião voa, avião cai, avião é fechado, avião treme, avião tem cheiro de bafo de pum. Mas não é isso. É mais fácil falar que sou viciada em rotina, que viajar me tira da minha bolha, que ficar longe de casa me dá angústia, que é muito difícil para uma pessoa com mania de higiene dormir em quarto de hotel (já pensou seriamente sobre as cortinas, o carpete e o controle remoto de um quarto de hotel?), que meu medo de ter vontade de gritar "cheeega" nua pelas ruas aumenta consideravelmente longe dos meus amigos e parentes e hospitais conhecidos. Mas não é isso.

Minha primeira crise de pânico foi deitada embaixo da cama dos pais da Daniela.

Eu tinha uns seis anos. Era aniversário dela, que também tinha uns seis anos. A festa era à noite e eu insisti muito com meus pais: "eu posso mesmo ir? Não é perigoso sair à noite? Não sou criança demais pra isso?". Mas eles me levaram e depois iriam buscar.

Aquilo realmente me chocou. Então eu podia *sair de casa*? Fiquei muito puta com a atitude deles. Numa brincadeira de esconde-esconde, entrei no quarto dos pais da Daniela e me escondi embaixo da cama. Luzes apagadas. Porta semifechada. Eu era mesmo muito gênia, porque tinha invadido uma área da casa que não podia ser explorada e, portanto, seria difícil me acharem ali. As outras crianças tentaram por alguns minutos até que chegou a hora do "parabéns" e elas me esqueceram. Eu escutei tudo: o "parabéns", assoprar velinhas, tirarem fotos, as palmas. Eu percebi que os pais da Daniela, a Daniela e todos os nossos amigos poderiam comemorar a vida sem mim. E fiquei imóvel. Não conseguia me mexer. Queria a minha mãe com tanta urgência e dor e desespero, que não conseguia sair dali e pedir às pessoas: "pelo amor de Deus, me tragam minha mãe. Me tragam aquela mulher que me deixou sair 'já estava escuro' e até agora não deu falta de mim, embaixo da cama de outra mãe".

Minha primeira crise de pânico foi num supermercado.

Eu perguntei onde ficava o melão. E me deu uma tristeza profunda fazer essa pergunta. Porque eu não gosto de melão, só compro porque é geladinho e tem o aspecto mais inofensivo do planeta. Melão nunca pode fazer mal. Se você estiver parindo a alma, vai conseguir engolir um quadradinho gelado de melão. Tinha o amarelo, o laranja e um mais caro numa redinha amarela. Algo sobre ter o cartão do supermercado foi perguntado, e me deprimiu demais. Tinha muita coisa no carrinho, tinha muita gente com carrinhos com muitas coisas. Tinha um cheiro de esgoto que vinha da rua e enlaçava o cheiro de laticínios lá de dentro. Tinha uma criança sem uma perna sentada num skate olhando os cachorros presos esperando pelos donos. Larguei o melão sufocado na redinha e todas as compras no carrinho. A menina do caixa gritou, chamando por mim. Atravessei a rua correndo.

O elevador não demora mais que contar até doze. Bem devagar. Respirando. Calma. Abri a porta de casa depressa. Sentei na privada. Não sabia se era choro ou grito ou morte ou vergonha o que ia sair. Não ia sair nada, eu só queria ter a certeza de que, qualquer que fosse a coisa a sair, eu estava protegida no silêncio não crítico de um eco de esgoto. Me agachei no banho. Pequena, errada, tremendo, feia, possuída, incapaz. Nem comprar melão no supermercado em frente eu conseguia mais. Queria limpar algo que não era sujeira, então nem o banho tinha lógica.

Minha primeira crise de pânico eu tive uma vez ao tentar acordar.

Pensei: "vai começar tudo de novo. Só mais dez minutos. Mas já são dez da manhã. Preciso acordar. Mas vai começar tudo de novo". Queria dizer que é o calor. Multidão. Gente esnobe. Gente sofrendo. Fritura. Frescura. Falta de assento. Falta de assunto. Pessoas que fazem jogos de palavras. Trânsito, fila, tudo caro, tudo demorado, tudo chato. Mas não é isso.

Minha primeira crise de pânico foi na ponte aérea São Paulo-Rio de Janeiro.

Criei fobia de aeroporto, de aeromoça, de saquinho de vômito, daquela privada supersônica do banheiro do avião, dos engravatados pigarrentos colados a mim na cadeira, dos atrasos, das oitocentas e noventa e sete trocas de portão de embarque, do Nutry de banana com suco de laranja aguado e do bafo enjaulado que escorre seco pela aeronave que te separa dos problemas que continuam enormes lá embaixo.

Mas, quando essa história começou, eu era recém-contratada da TV Globo e tinha vergonha de admitir que sofria crises fortíssimas de pânico. Então enfiava três Rivotril de 0,25 mg embaixo da língua e ia para as reuniões semanais.

Sempre que chegava lá e via meus amigos cariocas bronzeados, felizes e altamente dispostos, disparando piadinhas a respeito de tudo, odiava minha situação: temerosa, insegura e doente. Eles só me achavam mais uma paulistana estranha, mas nunca quiseram realmente saber por que minhas mãos tremiam. Eu era convidada para muitas festas, bares abarrotados e infinitos oba-obas, mas ficava trancada no hotel, conversando com algum amigo paulistano sobre "ser estranha e todo o resto".

Nunca soube com clareza o que detonou a lama toda. Minha analista diz que culpar o caos aéreo ou a ditadura da alegria carioca (estar deprê no Rio equivale a querer usar casaco de lã em Cuiabá) é ver o problema de forma superficial. Essas foram as coisas que detonaram meu pânico, mas ele já estava lá, se formando desde os meus primeiros passos, prestes a explodir a qualquer momento.

E explodiu com furor quando fiz trinta anos. Como era ser adulto? Não havia a aula "adulto II" no colegial. Nem a aula "maduro advanced" na faculdade. E daí começaram as crises que me acordavam diariamente e me faziam querer vomitar o coração disparado. Emagreci onze quilos: já que eu não tinha forças para devorar o mundo, que então não suportasse nem sequer uma azeitona no estômago.

Minha primeira crise de pânico foi num táxi, presa no trânsito, em cima de uma ponte.

Embaixo de mim, mais carros. Se eu olho para o mais longe que posso, mais carros. Para todos os lados. No táxi, aquele cheiro de couro curtido em peido, suor e sebo. Se abro o vidro, mil escapamentos, e me sinto embaixo de um ônibus gigante que vai triturar todos os meus órgãos.

Não tem como sair daqui. Está quente. Eu estou naquele segundo exato do horror: não tem como sair daqui, minha fome virou enjoo, minha ansiedade virou moleza, minha força virou necessidade de me recolher, minha cabeça dói um pouco e meu coração acelera muito para conter um início de desmaio. Está calor e tudo é muito amarelo e seco e nada conforta.

E então começa o pesadelo do "e se". E se eu ficar louca? E se eu desmaiar, vomitar, morrer, secar, sucumbir, gritar, machucar alguém, urinar nas calças, fizer cocô pelas orelhas, suar pelos olhos?

Ensaio incalculáveis vezes, mentalmente, como vou pedir ajuda. "Taxista, eu tô tendo um ataque de pânico, você pode, por favor, ligar para meu plano de saúde e avisar para virem me retirar daqui com um helicóptero equipado com soro, Rivotril e crianças tocando harpa? Eu sei que isso não existe, mas, por favor, finja que está ligando."

"Taxista, estou tendo um treco, você poderia, por favor, botar a mão para fora e gritar a todos que abram caminho porque eu estou infartando e precisamos correr para um hospital?" Também não. Deito no banco, respiro fundo e insisto em sugar de uma garrafinha a água que acabou. Não preciso falar, o taxista olha para trás e percebe. Ele para num posto de combustível, pega um cartão no porta-luvas e me entrega.

Leio: "Edilson dos Santos — viagens" e, escrita à caneta, a palavra "maçom". Ele me diz: "se me permite, gostaria de dar um passe na senhora". Oi? "Eu sou maçom e sei do que se trata." Não me recordo de maçons darem passes, mas àquela altura aceitaria qualquer coisa que pudesse me ajudar.

E então Edilson dos Santos, o taxista espírita maçom, levanta as mãos próximo da minha cabeça, fecha os olhos, e só. A vontade de rir substitui pouco a pouco o medo de passar vergonha. Afinal, vergonha por vergonha, Edilson já roubou boa cota do meu show.

É o fim da crise. Sei porque já acho o mundo novamente um local passível de ser habitado. O tráfego não está mais tão terrível e o rosto das pessoas não me parece mais tão amedrontador. Daqui a pouco estarei em algum outro lugar e ninguém precisa saber que tive um ataque de pânico dentro de um táxi em cima de uma ponte no meio do trânsito. Edilson se sente poderoso e eu, mais uma vez, fraca. Muito fraca.

Minha primeira crise de pânico foi em Barcelona.

Faz quarenta e três graus. Vejo no jornal que os velhinhos estão morrendo na Itália. Lá faz quarenta e um. Ando pelas ruas com uma garrafa de dois litros de água e, sem vergonha nenhuma, a cada cinco passos jogo um tanto da água na cabeça. Faltam três Gaudí ainda e amanhã vou embora. Preciso ver tudo, mas estou a três segundos de um ataque de pânico. Entro num boteco estranho. Peço Coca-Cola e jogo um saquinho inteiro de sal dentro dela. Preciso resolver ao mesmo tempo a hipoglicemia e a pressão baixa. Não tem ninguém para eu ligar e pedir ajuda porque estou há quarenta e cinco dias "viajando sozinha pela Europa" como se tivesse capacidade para isso. Começo a sentir muito medo de ser estuprada e roubada e enterrada como indigente. Agarro o passaporte. Tudo menos ser enterrada como indigente.

Lembro da amiga da minha amiga que me acomodou por dois dias em seu apartamento perto da Sagrada Família. Ela dizendo que emprestou uma calcinha e a pessoa devolveu com manchas de sangue. De menstruação. Para que ela me contou aquilo? Se eu estivesse num café, perto de casa, em São Paulo, eu riria e acharia nojento e pediria mais um pão de queijo. Mas, como estou longe e não suporto mais andar e suar e me sentir sozinha, a história me faz ter muito medo das pessoas e da vida. Quem devolve uma calcinha manchada de sangue a uma amiga? Vou morrer. Meu estômago está com medo, escondido, não aguenta nada, e sem nada eu murcho. Estou congelando agora. O garçom percebe e me olha assustado. Nunca viu ninguém tão branco, tão pálido, com a boca tão roxa. Ele já viu, claro. Nem está assustado. Eu nem estou com a boca roxa. Em cinco dias, já fui ao Museu Picasso três vezes só porque o banheiro é extremamente limpo e o ar condicionado, espetacular. Eu tenho medo da pia, dos azulejos, da escada que leva até o banheiro, da calçada, das criaturas todas que se levantaram de manhã e seguem vivendo. Eu tenho pavor do banquinho giratório. Eu tenho dó das minhas unhas descascadas, tenho dó da minha bolsa pendurada no ombro, tenho dó do meu dedão do pé saindo pela sandália. Tenho dó de estar viajando pela Europa quando meus pais nunca viajaram pela Europa. Eu quero chorar porque sou filha única e jamais deveria ter saído de perto dos meus pais. E se eles precisarem de mim? Quem vai cuidar deles? O que vai ser deles? E se? E se? Vou desmaiar. Certeza.

Os pensamentos repetitivos num círculo bem pequeno e central no topo da minha cabeça cochicham cada vez mais alto e mais rápido e furam o crânio como uma broca. Começa a escurecer e rodar e rodar. Saio cambaleando. Agora é escolher alguém para desmaiar em cima. Quem pode cuidar de mim? Por que saio de casa se não consigo? Quem deixou esta mulher sozinha no mundo? Eu tenho quatro anos. Socorro. Não, os caras da obra não. Só tem obra em Barcelona. Esse homem está cheio de poeira e tenho rinite. Essa mulher não aguenta meu peso. Esse outro parece feliz demais para entender. Vejo um cara bonito, o combo barba e óculos sempre dá algum alento, meio francês, um quê de existencialista. E escolho. Caminho calmamente até ele e desmaio. Ele me pega nos braços e se põe a correr. Eu sonho que estou num barquinho. Venta muito. É porque ele corre bastante. Acordo na enfermaria de um parque. Alguém me aplica uma injeção de glicose. Meu braço está roxo em vários lugares. Não achavam a veia. Fiquei desmaiada por doze minutos. Quero falar: "apartamento da amiga da minha amiga perto da Sagrada Família", mas minha língua enrola inteira. Agora já não importa vomitar ou morrer. Pessoas de branco estão ao meu redor e tentam acalmar minha crise de choro.

Estou tão triste por estar longe da minha mãe, e mais triste ainda porque, se ela estivesse perto, não adiantaria nada. Estou triste por não ter um homem ao meu lado, e mais triste ainda porque eu não queria um homem ao meu lado. Não é de mãe nem de amor que precisamos, mas dessa coisa que ficou guardada na nossa cabeça como a entidade mãe ou a entidade amor. O socorro que não existe. Se eu estivesse no polo Norte, teria passado mal do mesmo jeito. Talvez não tivesse desmaiado, mas teria tido uma crise de coluna por causa da tensão do frio. Sempre tensa e não à vontade. Sempre querendo voltar para algum lugar seguro e tranquilo. Tem remédio para medo de banquinho giratório?

Minha primeira crise de pânico foi na Faculdade São Francisco, quando o melhor amigo do cara por quem eu era completamente apaixonada meteu uma garrafa na testa e ficou tentando lamber o sangue que escorria como se fosse um chocolatinho no canto da boca. Eu nem sabia que cocaína existia, nunca tinha visto cocaína. A cocaína estava ali, na minha cara. Tive medo de ter cheirado só porque estava a dez metros e inspirei o ar da sala onde, em cima de uma mesa, tinha cocaína. Inspirei o oxigênio que estava perto da cocaína e fiquei com medo de ter cheirado a droga. Tipo: beijo engravida? Eu era a menina mais caipira do mundo aos dezessete anos. Virgem porque tinha medo demais de fazer sexo. Minha primeira crise de pânico foi aos dezessete quando tentei transar. Aos dezoito quando tentei transar. Aos dezenove quando tentei transar. Aos vinte quando transei com um namorado médico num hospital. Minha primeira vez foi num hospital, "qualquer coisa eu já estava ali". Depois de ver a cocaína, por dois anos só consegui sair de casa se meu pai me levasse e buscasse. A certos lugares eu só ia se ele ficasse me esperando na porta.

Minha primeira crise de pânico foi no meu aniversário de vinte e nove anos. Reservei "o andar de cima inteiro" de um restaurante em Ipanema. Chamei umas quarenta pessoas, todos, sem exceção, amigos novos. Fazia cinco meses que eu estava morando no Rio. Fui até a porta do restaurante, olhei para toda aquela gente e pensei: "não". Não conheço essas pessoas. E decidi ser a única a não ir à minha festa de vinte e nove anos.

Minha primeira crise de pânico foi de repente. Eu estava em algum lugar e precisei ir embora. Rápido, correndo. Se você pensar bem, ficar duas horas no cinema para assistir a um filme pode ser terrível. E sentar retinha na cadeira do restaurante para fazer alguém gostar de você? E o nariz, a gente tem nariz, entende? Somos meio alaranjados e temos nariz. Nariz é estranho de doer, não é? E o plural de "nariz", não te causa nada? E você beija uma pessoa, daí você lambe essa pessoa, daí ela dorme com você e, dali a uns meses, o quê? Não sei, sumiu. Sumi.

Daí comecei a piorar. Exemplo: todo mundo se divertindo na sala, e eu pensando: "duas quadras, carro, três quadras, casa. Eu aguento. Eu posso aguentar. Duas quadras, carro, três quadras, casa. Tem mato, tem árvore, tem passarinho, tem filme 3D, tem passagem para o mundo inteiro, tem elevador com pessoas que conseguiram tomar café da manhã, tem suco de laranja, tem nariz, somos alaranjados. Duas quadras, carro, três quadras, casa. Eu aguento. Só preciso colocar isto aqui embaixo da língua. E mais um porque está demorando. Talvez mais meio, porque estou cansando. E pronto. Só daqui a doze horas abrir os olhos e pensar como tudo fora do quadrado da minha cama me dá pavor".

Mas aí começou a piorar mesmo. Exemplo: "padaria você consegue, vai!". É como sofrer um acidente e perder os movimentos de uma perna. Seu cérebro está aleijado. Não adianta correr meia maratona. Não adianta pegar um avião para Nova York. É de ir à padaria que você está com medo.

Aos poucos. Ir à padaria é como fazer fisioterapia para perna acidentada. Um dia a padaria do bairro, outro, a padaria de outro bairro. E pronto. Você consegue ficar na sala com as pessoas sem pensar: "duas quadras, carro, três quadras, casa".

Agora tomo um remédio de manhã. Que engulo como se fosse uma vitamina que a natureza fez brotar para mim de uma frondosa árvore outonal. Nem sei o que estou escrevendo, mas sei que não me parece química, de verdade. As pessoas me dizem: "larga essa merda". Segurando seus copos, seus cigarrinhos, seus vícios todos, suas manias, suas madrugadas fritas, seus dias fazendo de conta que não é assim, seus ipods, phones, pads. Quem é que larga essa merda? Quem é que para de chacoalhar a perna, estalar o pescoço, ranger os dentes, torcer os dedos do pé até soar um barulho relaxante de quebrado? Vamos como der. Primeiro até a padaria. Ainda procuro sentar perto da saída. Ainda pergunto, sempre aliás: "e se eu precisar ir embora, por onde saio?".

Eu senti meu cérebro romper. E, toda vez que penso nisso, choro um pouco. Nesse dia eu vi que a mente é como a perna. O joelho estraga se você fizer os exercícios errados. E fritar é foder o joelho do cérebro. E se o cérebro é só um joelho, então o quê?

Minha primeira crise de pânico foi quando encasquetei que havia insetos gigantes presos na minha garganta. Eu acordava sufocada no meio da noite, tossindo histericamente, tentando golfar algo que não existia mas que estava na iminência de me contaminar sem volta.

Toda a história fazia muito sentido: eu tinha problemas sérios de alergia que deixavam minhas narinas sempre muito entupidas. Para respirar, eu abria a boca. A boca ia ficando tão seca, tão seca, que uma hora secava lá no fundo da goela. O fundo da goela seco, por sua vez, me dava a sensação de estar engolindo um bolo amassado de A4 sujo. Eu estava sonhando nessa hora, então o que era apenas rinite virava a fantasiosa história de um rinoceronte alado entalado numa passagem secreta para o fim do mundo. Acordava no susto.

Um médico sugeriu investigar apneia do sono, mas minha mãe considerou "que isso era coisa de velho gordo cardíaco caduco" e me mandou parar de encher o saco. Até que um dia acordei chorando, desesperada, porque tinha engolido a Tula, uma cachorra de sete quilos. A Tula me olhando, assustada, e eu tentando convencer a todos que a tinha engolido. Era de fato preocupante.

Na minha rua tinha uma benzedeira chamada Deusa, mas a Deusa pegava uns casinhos mais simples, como "bucho virado" ("virose", traduzindo para uma linguagem mais Zona Oeste). Nunca entendi exatamente o que é isso (só sei que a benzedeira media os braços da pessoa e, se um fosse maior que o outro, o estômago não estava na posição correta. Ela então "punha" o estômago de volta no lugar com muita reza, arroto, bocejo, suor, fisioterapia amadora e, em dias mais animados, sotaque de jangadeiro de novela das seis). A conclusão era sempre: "ela tava com muito quebranto" ("ela era alvo de muita inveja", na linguagem da Zona Oeste). Mas a Deusa não pegava caso de "cachorro entalado na garganta", e aconselhou minha família a me levar à dona Zulmira, duas ruas para baixo. A dona Zulmira era conhecida no Tatuapé por resolver "as paradas mais graves".

Fui a pé com minha mãe, mãos dadas. Eu sabia que ela estava triste, preocupada, e pensei em explicar a simplicidade da coisa: "é como se minha mente fosse uma chaleira e, de repente, apitasse antes de derramar. O caldeirão uma hora ferve, entende?". Mas não disse nada.

A casa tinha aquele tipo de jardim "desistiram da porra toda". Mato bem alto, vazando para fora do que já teria sido um "momentinho natureza que dá uma sensação boa". Agora, analise comigo o tamanho da sacanagem. O que eu tinha era medo de dormir, normal em crianças. Mas a partir daquele dia, e quiçá para sempre, eu teria medo de todas as outras horas que passaria acordada.

Dona Zulmira fez cara de quem "não sabia de nada" e foi chamando: "tem bolo, que menininha linda". Eu caí na mentira, fiquei feliz que era só um bolinho e voltar para casa, mas percebi o engodo quando a benzedeira top do bairro cochichou para a minha mãe, depois de me olhar mais de perto: "ela tá com encosto, sim, e é dos bravos".

Senti um cheiro ruim de vela com cebola com roupa que secou sem sol e apertei a mão da minha mãe. Comecei a tremer muito, querer desmaiar, querer vomitar. No meio da sala de dona Zulmira, umas sete pessoas dançavam uma espécie de ciranda, em volta de uma cadeira. Eu era bem novinha, mas lembro de pensar com muita clareza uma coisa de extrema sapiência: "que porra a caralha da sem noção da minha mãe tá fazendo comigo?!". Me botaram sentadinha no centro da roda, o pessoal rezava, dançava e me tocava, um primo da dona Zulmira estava ali e seu estilo de benzer era bem estranho, porque ele roçava a mão, de leve, de maneira imperceptível aos olhos dos outros, nos meus seios. Eu senti o maior medo já experimentado em toda uma existência, e olha que já fui para o Six Flags e parada numa blitz, aos dezenove anos, com um namoradinho comunista (ele achava que era, não posso fazer nada a respeito) que tinha escondido um troço na minha jaqueta.

Eu estava prestes a sair correndo dali, não antes de declarar que a partir daquele momento só moraria com meu avô, só obedeceria ao meu avô, só comeria as frutas devidamente higienizadas pelo meu avô e só falaria com meu avô (o único que, lembro bem, gritou com a família inteira quando saíam para me levar à benzedeira: "essa palhaçada vai assustar a menina, ela só precisa de uma coça" — gênio), quando o descarrego acabou. Estavam todos tristes, chorando, cansados, suados, com o bucho virado. "Ela estava muito triste", repetiam. "Era tristeza." "Não é isso que você sente, menina, tristeza?" "Não, eu só tenho medo de achar cabelo na comida."

Minha primeira crise de pânico foi em Buenos Aires.

Vinte charutinhos

A última vez, já digo do quê, tinha sido no dia 15 de março de 1992, às onze da manhã. Eu tinha treze anos e havia comido, em excesso, charutinhos de repolho com carne moída. A palavra "demais" ficou para sempre tatuada na minha memória gástrica. Minha mãe, meus avós, meu pai, um namorado, todos falando: "você comeu demais". Eu teria para sempre, depois daquele dia, medo do *demais*. Qualquer coisa demais me daria enjoo. Eu perseguiria uma vida de "hoje tá tudo mais ou menos e eu vou deitar pra ver TV e acabar dormindo". Não por vontade de que assim fossem os dias, mas por paúra de sentir de novo o que aqueles charutinhos em excesso haviam me causado.

Eu tinha comido uns vinte, porque eles eram pequenos e só estavam temperados com hortelã, e eu entrei numas de achar tudo muito leve e comer os charutos como se fossem belisquetes despretensiosos. Quando deram nove horas da noite, parecia que um elefante que sofria de gigantismo tinha desistido da vida e encostado a cabeça em meu duodeno. Naquela época eu já odiava vomitar, já tinha muito medo, mas ainda não era uma questão de fobia, isso tudo foi antes da negociação "aqui não se vomita" que fiz com meu corpo. Então ficou claro para mim que seria uma noite bem ruim, mas ainda não era uma questão de "prefiro entrar em coma a vomitar".

Minha mãe tinha saído, eu estava sozinha em casa, frustrada porque na TV Bandeirantes não estava passando Sexta Sexy. Eu ficava morta de tesão na Sexta Sexy, e a maior alegria do mundo era poder assistir a essa sessão com o volume bem alto. Mas e se passasse Sexta Sexy naquele dia? Eu teria conseguido ver? Nada é por acaso. Eu queria um chá de boldo, porque lembrei que minha avó fazia esse chá para o meu avô quando ele exagerava nas doses de "uisquinho" com salgadinhos amanteigados antes do almoço, mas eu não tinha permissão para mexer no fogão.

Um elevador de bile maligna, mix de suco de laranja quente com Halls preto, subia até minha boca com a lentidão intensa e muito presente de um assassino perverso. A língua se comunicava por telefone sem fio com o fígado e, não entendendo direito o que ele dizia, me trazia informações deturpadas como "é o fim" e "de hoje você não passa". Eu sentia do que era feito o fígado, sua consistência, cor, cheiro, líquidos, gases, mas não conseguia traduzir seus desejos.

Era como se tivessem deixado em minha casa uma criança colérica que só falasse eslavo. O que ela quer? Ela pôs fogo na casa inteira, mas eu realmente não sei se com leite consigo apagar tudo. Boldo? Quem sabe essas coisas é mãe! Não sou paga para saber essas coisas. Liguei para a minha mãe. Disse algo como "estou morrendo, venha logo". Ela respondeu algo como "nunca saio, nunca faço nada pra mim, nunca me divirto, você deveria ter compaixão, vou demorar uma hora e você não é mais um bebê".

Lembrei da tia Fátima, casada com meu tio Celso. Ela era só a mulher do irmão do meu pai, não era consanguínea minha. Mas no último Natal, junto com um daqueles presentes medonhos que ela sempre me dava (e que eu sempre tentava trocar na loja até ver a loja e ficar com medo de que se tratasse de um açougue clandestino), ela me entregou um cartãozinho com o retrato de Jesus e os dizeres: "sempre que precisar, conte comigo". Liguei para a tia Fátima.

Ela veio, cara de "muito puta por sair de casa numa sexta às onze da noite", fez o chá para mim, sem ligar a mínima para a minha longa e detalhada explicação: "é um tipo de enjoo que deixa a boca com gosto forte de cabo de guarda-chuva e dá muita tontura, o que me faz pensar que é fígado, mas fígado não dói, meu professor de biologia disse, e eu sinto dor, então é estômago?". Ela me entuchou chá de boldo sem dizer uma única palavra de carinho. Ela não era falsa, só meio feia. Nada é mais transparente do que má vontade em pessoa feia. Mas e Jesus naquele cartão de Natal? *Era tudo mentira?* Natal, Jesus, tia Fátima, conte comigo, tudo mentira.

Até que minha mãe chegou (cheiro de cigarro com perfume adocicado demais piorando ad infinitum meu estado de vulcão necessitado de se livrar de lavas indolentes) e eu tive a certeza de que meu problema estava resolvido: eu ia vomitar. Ia vomitar, e muito. Ver minha mãe tinha me dado o maior enjoo que eu já sentira. Porque sempre era demais ver minha mãe. Como eu amava minha mãe! Minha mãe era o equivalente a cento e vinte charutinhos.

Da meia-noite até as cinco da manhã do sábado, eu tentei vomitar. Enfiei o dedo na garganta, bebi sal de fruta duas vezes, fiquei encarando um balde azul sentada no chão do banheiro com a pressão a quatro por dois. *Nada*. Eu não conseguia. Quando faltavam dez para as seis, comecei a vomitar. E só parei às onze, hora em que jurei, com uma seriedade que não sustentaria nem ao assinar contratos com a Globo Filmes, que aquela seria a última vez. Eu nunca mais passaria por aquilo de novo. Se o preço a pagar fosse nunca mais comer, eu nunca mais comeria; se o preço a pagar fosse uma vida de chuchu com arroz e água e nenhuma alegria gastronômica, eu estava disposta a sofrer a esse ponto, para nunca mais sofrer àquele ponto.

Sabe quem era o culpado da pior madrugada da minha vida? O *demais*, o exagero, o prazer, o despudorado, o sem limites, o deixa vir, a intensidade, o agir sem pensar. Vinte charutinhos! *Vinte*. Nunca mais eu comeria muito. Nunca mais comeria coisas gostosas que me dessem vontade de repetir. Negociei isso. Fui magra, quase anoréxica, por ao menos quinze anos a partir de então. Naquele fim de manhã de sábado, abatida, pálida, gelada, terminei meu primeiro namoro. Não que eu não gostasse do garoto, gostava demais. Mas era o demais, lembra? Eu o amava o equivalente a uns setenta charutinhos. Estava proibido agora.

Eu tinha treze anos, e ele era lindo e ia me buscar no colégio toda terça às cinco da tarde, depois da aula de "laboratório de física", e todo mundo ficava olhando porque era um daqueles casos de "o que esse cara lindo tá fazendo com essa menina estranha?". E ele era engraçado e carinhoso e tarado. E dava apelidos para o pênis, numas de me fazer ter menos medo. Chamava o pinto de Cleber. Meio coisa de pobre, eu sei, mas a gente era pobre. Eu achava bonitinho o pinto dele ser o Cleber. Mas continuava com medo, porque Cleber era o nome do gerente do banco onde meu pai tinha conta.

Mas naquele fim de manhã de sábado, depois de eu ter entendido o quanto precisava da minha mãe porque não sabia lidar de forma leve e prática com uma simples indisposição, eu me declarei extremamente criança. Criança até os cinquenta e quatro anos. Nunca mais namoraria. Nunca mais vomitaria. Nunca mais comeria charutinhos. Nunca mais chamaria nenhum pinto de Cleber. Nunca mais sentiria nada a não ser alívio por aquela noite ter acabado. E por aquela manhã ter acabado. A felicidade tinha me ferrado em proporções inimagináveis, portanto eu nunca mais seria feliz. Passaria a vida deitada no sofá, barulho da minha mãe fazendo sopa na cozinha, olhos fechados, pensando que acabou, pensando que minha mãe chegou. Por favor, pelo amor de Deus, nunca mais me deixem sozinha tendo que lidar com vinte charutinhos, com minha vontade, com o demais, com a ânsia da minha vontade em excesso. Foi quando senti medo de ser adulta, medo que nunca mais passou.

Aos vinte anos larguei meu emprego na área de marketing para tentar trabalhar em criação publicitária. Por um ano tive enjoos terríveis, mas não vomitei. Aos vinte e sete larguei meu emprego de redatora publicitária para tentar escrever um livro. Por cerca de dois anos tive enjoos abaladores, mas não vomitei sequer uma vez. Aos trinta e dois me mudei para o Rio, para tentar ser roteirista, e por três anos tive enjoos fortíssimos, fruto de uma gastrite que só aumentou desde o primeiro enjoo muito forte de que tenho memória: aos quatro anos de idade, quando mudei do Jardim 1 para o Jardim 2. Gastrite que duas endoscopias, uma aos dezessete anos, outra aos trinta, não acusaram mas que eu sabia que estava lá enquanto "alma de gastrite". Eu não tinha a gastrite em si, mas uma espécie de aura de inflamação no estômago. E no dia das endoscopias, e durante elas, e depois delas, tive muito enjoo também, mas não vomitei.

A verdade é que não lembro de existir sem estar passando meio mal, com a pressão meio baixa, hipoglicemia, o coração meio disparado, tudo meio rodando, a estabilidade do ar sempre demorando a voltar qualquer que fosse o movimento. E muito enjoo.

Vomitar era algo negociado com todos os meus órgãos, com Deus, com a vida; e o contrato era um outdoor que eu carregava no cérebro e onde estava escrito: "não, este corpo não vomita, este corpo não vomita nem a pau".

Acho que a coisa se deu mais ou menos assim: como eu poderia vomitar a qualquer momento, estava decidido que não vomitaria *nunca*. Porque, se eu fosse mesmo vomitar quando me desse vontade, vomitaria em todas as reuniões, em todos os primeiros encontros, em todos os últimos encontros, em todas as viagens, em todos os dias mais importantes da vida, em todos os piores dias da vida, em todos os dias de tédio, sempre que ficasse muito qualquer coisa (bêbada, resfriada, feliz, nada). E praticamente teria que sair de casa com um saquinho plástico como se ele fosse RG. Mas, se pudesse aguentar hoje, aguentaria amanhã, e aguentaria até o fim dos tempos. O que eu mais temia era não cumprir esse trato e desencadear um vômito ancestral, um tsunami azedo, impetuoso e veloz. Então eu jamais poderia vomitar. Não poderia dar free pass à besta-fera líquida que me corroía por dentro.

Mas tudo isso mudou no dia 25 de fevereiro de 2012, às exatas nove e vinte da noite. Eu e um amigo "produtor de teatro" aguardávamos, no Le Vin dos Jardins, a chegada de um "empresário investidor de teatro" a quem tentaríamos vender minha "peça cabeça popular" sobre neuróticos com problemas sexuais que se reúnem para fazer uma suruba mas não conseguem porque não param de falar. Eu estava calma para o pitching, mas nervosa com a demora da comida.

Sábio o restaurante que logo de cara entucha azeitonas pretas nos comensais. Pressão baixa deveria ser atenuante de pena para crimes hediondos cometidos por pessoas famintas. Mais dez segundos de demora e eu poderia jogar sal no pé da mesa e comer como snack. Foi quando chegou o meu croque-madame com muito ovo e muito presunto e muito pão e muita batata frita e muito suco ácido de tangerina e eu devorei tudo em dois minutos. Quando num microarrotinho senti as labaredas do inferno me abraçando a faringe, sabia que a coisa tinha saído do controle.

E quem era o culpado, novamente? O *demais*, o exagero, o prazer, o despudorado, o sem limites, o deixa vir, a intensidade, o agir sem pensar. Um croque-madame, com *muito* ovo e *muito* presunto devorado em *muito* pouco tempo. Novamente a vida se apresentando na sofreguidão torpe de quinhentos e sessenta e sete charutinhos para um corpo pequeno e cheio de coisinhas. Nunca mais eu comeria tanto e tão pesado e em tão pouco tempo. Nunca mais. Mas e agora? Como faria uma apresentação digna a um monsenhor montado na grana se tudo o que eu mais queria era... uma privada, minha mãe e meu perdão?

Fazia exatos vinte anos que eu não vomitava. Não sabia mais vomitar. Não queria saber. Tinha feito um trato comigo. Meu corpo me obedecia. Eu era a mestra maior dessa sinfonia chamada existência. Estava tudo certo. Eu tomaria um ar "lá fora", bebendo aos poucos uma água repleta de pedras de gelo. Até as pedrinhas derreterem, eu já estaria pronta para a sobremesa. Respirando fundo. Fazendo promessas. Uma lagriminha querendo cair, tamanho o meu pavor de estar sozinha naquela situação. Tenho quatro anos e minha mãe saiu. Vem um cara mau tentar me dar dinheiro para uma peça de teatro má — e minha mãe saiu. Meus joelhos pesam uma tonelada. A nuca foi alugada a contragosto para um show acústico do Fat Family. As axilas expelem toxinas azedas e tão frias quanto a vida. A face está tão absurdamente branca, que um dos manobristas do restaurante vai atrás de mim: "a senhora precisa de uma ambulância?". Então vejo uma árvore. Sento embaixo dela. Buda teria uma iluminação, eu tenho apenas muito e muito enjoo. Demais. Penso então em salmonela do ovo. Penso então: "como era a vida antes do asfalto?". Penso então: "foda-se ser uma moça". Penso então: "é a pior coisa do mundo e, no entanto, estou vivendo isso e não tô achando a pior coisa do mundo". Então um jato agressivo, um gigantesco splash de promoção "bem-estar a nove e noventa e nove", o vômito do exorcista versão "rua refinada de bairro classe A", toma conta de mim e da pobre árvore. Verte com a mesma força da opressão que me causei nesses vinte anos de prisão, de ditadura, de contenção. No final, caio dura, exaurida, feliz. Sou uma requintada moça deitada no chão, toda vomitada, na porta do Le Vin dos Jardins. Patricetes e rapazes camisa polo desviavam de mim como se eu fosse merda com moscas-varejeiras em cima. Era a glória. Era o fim de uma era de pavor. Era a coroação do medo pelo medo maior tornando tudo menos assustador. Eu havia passado pela situação mais ridícula da minha vida e, no entanto, o mundo seguia igual. A última frase que escuto antes de sonhar com minha mãe me dando os parabéns é a de um motoboy que grita: "eitcha, a dona bebeu foi todas".

Até hoje minha peça de teatro sobre pessoas neuróticas com problemas sexuais que se juntam para fazer uma suruba e não conseguem porque não param de falar espera por patrocínio.

O primeiro Rivotril e o resto todo

Quando o avião decolou, ela deu seu primeiro grito. E foi dando outros, misturados ao choro e à frase "ai, não, meu Deus do céu, não". A aeromoça a trouxe para a primeira fileira: lugar para gestantes, idosos, pessoas com deficiência. Eu estava ali, e a vi chegando suada e tremendo e curvada como se as costas pudessem cobrir seu rosto e ela pudesse sentir no anonimato aquele medo tão intenso e tão "sem sentido". Pensei em puxar papo: "se avião fosse bom, não davam um saquinho de vômito pra gente, né?".

Se não dá para escolher até a fileira 3 ou 4, minto que estou grávida e consigo sentar bem na frente. Você já está preso num negócio com quinhentos desconhecidos que tossem e, para sair desse inferno, ainda vai ter que esperar os quinhentos desconhecidos que tossem levantarem, pegarem as malas, andarem com lerdeza (alguns), andarem com mais pressa do que educação (pior que lerdeza) (a maioria)? Lá na frente é como um palco para que te vejam surtar de angústia, então o certo deveria ser minha fobia escolher o último assento. Mas a vontade de cair fora é tão enorme, que é ainda maior que o medo de chamar atenção.

Já menti centenas de vezes em avião. Já menti chegando a Portugal que estava grávida, para não ficar na fila da imigração. Já menti chegando ao Rio que estava prestes a desmaiar, para sair de cadeira de rodas (fiz isso porque tive medo de estar prestes a desmaiar porque senti que estava prestes a estar prestes a desmaiar). Já menti que estava grávida "e enjoando demais", para sentar na primeira de todas as cadeiras, a 1A. Já menti que estava com suspeita de H1N1, para convencer uma aeromoça a não deixar ninguém sentar perto de mim. Ela disse que eu teria que sair do avião, eu fiquei *tão feliz* ao ouvir que teria que sair do avião "mandada por alguém e não por um pensamento invasivo", que fui logo juntando minhas coisas, calma, solar. A aeromoça percebeu que eu não estava doente e me evitou durante todo o voo.

A fobia pode ter cara de arrogância, de esperteza, de "falta de uns tabefes na infância", de nazismo comezinho. Num avião, eu tenho nojo de qualquer um que tussa, tenho aflição de qualquer um que sente perto de mim. Vale mencionar que, se essa pessoa for uma modelo sueca cravejada de diamantes, minha angústia será a mesma, ou até pior.

Em Lisboa, quando saí do aeroporto em cinco minutos, "estou grávida de algumas semanas e me sinto muito mal", deixando para trás milhares de seres tão cansados e famintos quanto eu, pensei seriamente em me proclamar um monstro.

Mas não é bem isso que acontece com o fóbico de viagem. Acompanhe comigo. Eu só consigo entrar num avião, para uma viagem internacional, misturando 0,75 mg de Rivotril com um Dramin (aquele para dar sono). Já dentro do avião, um pouco antes de comer (belisco meio pão com um quinto da comida) tomo mais 0,25 mg do mesmo remédio. Quando as luzes estão prestes a apagar, tomo mais 0,25 mg de Rivotril e tomo o cuidado de deixar um Vonal Flash por perto.

É importante dizer que só viajo à noite e que, naquele dia,

desde que acordo, tomo 0,5 mg de Rivotril sublingual a cada três horas. É importante dizer que dez dias antes de viajar, quando começo a sentir os sintomas de forma quase insuportável (e começo a pensar em seiscentas e setenta e oito maneiras de cancelar a viagem, pois só isso me acalma), já estou tomando 0,5 mg de Rivotril a cada seis horas. Então, meu amigo, quando apagam as luzes do avião e não há mais nada a ser feito, eu durmo como se pedras hibernassem.

Dito tudo isso, você imagina o meu estado quando chego ao outro país? Dez dias sem me alimentar direito, assada de tanta diarreia (uma semana antes de qualquer viagem meu intestino entende que comi ostras estragadas), com hipoglicemia e pressão baixa por não comer quase nada no avião, com enxaqueca profunda devido à mistura de remédios (vários médicos já me pediram que não misturasse Dramin com Rivotril, mas ou faço isso ou não viajo), e com uma dosagem de tarja-preta na cabeça que me faria inventar uma religião chamada Abraçando Árvores na Jamaica. Você consegue imaginar esse ser humano em pé por uma hora numa fila de imigração, sem morrer? Por isso eu minto que estou grávida, para poder desmaiar o mais rápido possível numa cama de hotel e só acordar no dia seguinte. Começo a "contar" uma viagem a partir do terceiro dia. No primeiro eu durmo, no segundo acordo aos poucos, no terceiro começo a ficar bem, o que significa que volto a sentir medo e volto a tomar remédios. Uma vez me contaram de um cara que foi até a Rússia e, ao pisar lá, sacou que "não, não tô a fim", voltou para o aeroporto e voltou para casa. Cheguei a adicioná-lo no Facebook, crente que viveríamos uma história linda de amor, sem jamais sair de casa, em São Paulo. Mas ele era feio e desencanei. Ainda bem que ele era feio.

Mas eu falava da menina que gritava no avião e veio sentar ao meu lado, na primeira fileira. Todo mundo se cutucando, comentando. O marido dela, roxo de vergonha. A aeromoça tentando convencê-la a tomar suco de laranja. "Cê jura, minha filha, que um suco de laranja vai melhorar a vida de uma moça que está *gritando*?" Esperei longos dez minutos, mas, como não apareceu nenhum psiquiatra (tive um namorado psiquiatra que ajudava garotas em avião, ele sempre me contava isso antes da transa, eu tinha um fetiche absurdo por essa história. Por essa e por outra: aos dezenove anos, ele levou uma barraca para um "jogos universitários de medicina no Rio de Janeiro" e transou com catorze mulheres em seis dias. Eu amava as duas histórias. Ele jovem e uma barraca, o terror do Rio. Ele já formado, o super-herói do avião. Namoramos por quatro meses e, como ele morava em Porto Alegre, toda vez eu me drogava com Rivotril para voar até lá. E sempre achava que ele me fazia muito bem e que eu era muito plena e feliz e calma com ele. Mas eu estava drogada: achei que era amor e era Rivotril), resolvi falar com ela.

Me apresentei: "sei exatamente que merda é essa". Apresentei o Rivotril: "você vai melhorar em poucos minutos". Ela disse que não tomava nada "que os outros lhe dessem" e sem receita. Ainda era grossa, a maluca. Eu descartei um sublingual, dei na mão dela e lancei o mistério: "não precisa tomar, às vezes só de ter ele por perto eu já fico bem". Voltei para o meu assento e fiquei observando. Marido, aeromoça e passageiros ao redor da menina começaram a fazer um coro: "toma, eu já tomei". *Toma, eu já tomei.* Não é legal ter alguém surtando do nosso lado, lembrando que todos têm motivo para enlouquecer e que apenas os mais sãos de fato dão voz a isso. E ela tomou. E capotou em estado de graça cinco minutos depois. Como uma criança que relaxa sugando o seio da mãe depois de várias mamadeiras azedas. A garota tinha voltado para casa.

O marido dela sorria tanto para mim que temi "estar rolando um lance entre nós". Achei que era Rivotril e era só amor. Sempre.

Senti uma inveja profunda da maluca. A primeira vez com o

Rivotril é única, é perfeita, é a comunhão das maravilhas universais traduzidas em aconchego. Eu ocupo o espaço e isso é totalmente possível. Já não tenho uma carne viva entrando em "combinações químicas perigosíssimas e putrefatas com um oxigênio tomado por uma poluição devastadora". Tenho uma couraça magnífica que me leva virtualmente pelo mundo enquanto mantenho os órgãos vitais protegidos embaixo da cama.

A primeira vez que tomei um Rivotril foi numa noite de segunda-feira, depois de somar "fora do namorado" com "dia muito difícil no trabalho". Na época eu namorava outro psiquiatra (namorei uma infinidade de psiquiatras, psicanalistas, psicólogos, médicos de outras áreas que se interessassem por psiquiatria — o maior tesão que eu tenho num homem é fantasiar que seu pau é também uma vara de condão contra o mal-estar da loucura. "Me deixa louca de amor e depois me deixa calma para eu poder dormir mesmo amando" é o que eu gostaria de tatuar na minha virilha. Naquela brincadeira "quem você levaria para uma ilha deserta?", sempre deu primeiro um médico e depois o Brad Pitt. Imagina levar um médico e um namorado no mesmo homem para uma ilha deserta? Isso significava economizar um desejo!) que tinha me pedido "um tempo para que ele sentisse minha falta" (estávamos indo para o décimo dia, e nada!), e eu ainda trabalhava em agência de publicidade e estava trancada havia dias numa sala criando um novo conceito para o Bradesco. Foram noites e noites sem dormir para que meu chefe viesse com o conceito "Bradescompleto". Vocês lembram dessa pérola? Ele jogou fora semanas de trabalho de todos os redatores da agência, não sem antes deixar claro que éramos uns merdinhas porque não tínhamos resolvido algo tão simples.

Cheguei à casa da minha mãe com muita dor na nuca, um pouco de febre, tontura, sede. Medi a pressão (claro que minha mãe tinha um medidor de pressão!), estava altíssima. Pensei em ir para o hospital, mas resolvi encurtar a conversa. Meu desejo era "dormir muitas horas cagando em absoluto pra humanidade", e minha mãe, viciada em Rivotril fazia mais de dez anos, me apresentou o danado.

Botei na boca o sublingual de 0,25 mg sentada no sofá da sala e não tive tempo de jantar ou tomar banho. Não lembro como cheguei ao quarto. Lembro de sonhar (*juro!*) que rolava entre travesseiros branquinhos, postos para arejar numa grama muito verde, num lindo dia de sol. Dormi por treze horas e, quando acordei, estava decidida a ignorar namorado e emprego e a partir de então só me relacionar com aquela droga.

Você que curte cocaína, ácido, MDMA... me explica: *para que* se sentir pilhado? Eu me sinto pilhada desde que nasci e... que cansaço, pelo amor de Deus. Jura que você precisa de algo "que te tire de você"? Que "te leve daqui"? Eu só quero algo que me devolva a mim. Que me deixe ficar sentada, quieta, calma. Cansei de ser o balão com uma carinha histérica desenhada, preso por uma cordinha fraca que depende da boa vontade de quem segura. Rivotril é a única droga possível, certamente tão perigosa quanto todas as outras, ou mais, e quem me apresentou foi a minha mãe. Veja você como é a vida.

Então isso é que "é ser humano". Lembro de ruminar esse pensamento ininterruptamente após o primeiro Rivotril. Então é assim que se sentem todas aquelas pessoas que não falam como se estivessem caindo num carrinho de montanha-russa? Que maravilha ser vocês! Nunca mais senti como na primeira vez, mas sempre me senti muito bem. Me senti como deveria ser um ser humano. É como dispor de pequenas doses de dignidade numa cartela. É como se, depois de trinta anos correndo debaixo de sol, numa maratona chamada Estar Vivo, você finalmente pudesse chegar a algum pódio com água e sombra e camas onde o troféu fosse o parafuso que faltava na sua cabeça. É como ter acesso rápido e indolor a "ser adulto". Você mete uma "versão adulta de você" embaixo da língua, e espera que ela tome seu corpo todo e fale no seu lugar, aja no seu lugar, viaje no seu lugar, ganhe dinheiro, termine namoros, durma, tudo no seu lugar.

Cheguei a um ponto em que eu queria lembrar a palavra "cadeira" numa conversa e não conseguia. "Aquele negócio de sentar, ca... ca... ah, sim, cadeira!" Conversar comigo sobre cinema, assunto que sempre amei, havia se tornado patético. Eu não lembrava nomes de filmes, atores, nem de diretores. Meu corpo flutuava calmamente sobre os problemas que pouco me atingiam, mais uma semana rivotrilsada e eu abriria mão de tudo o que sempre quis e viraria surfista.

Quando resolvi parar com o Rivotril, após meses sem me irritar com tudo e sem sentir medo da minha própria sombra, tive a maior ressaca da vida. Foram semanas dormindo mal, sentindo cansaço e sono em horas erradas, ouvindo os músculos retesados gritarem pelo remedinho, lidando com ocos assustadores no centro da cabeça, andando pela casa como se tivessem tirado a tampa do meu crânio, como se as paredes houvessem mudado de lugar, com buracos peludos no meio do peito, com disparadas insanas do coração, e bebendo litros e litros de água que nunca saciavam a pele seca da minha goela.

Parei, mas não saio de casa sem uma cartelinha na bolsa. E se o monstro do "medo sem explicação" ousar enfiar as garras em minha jugular? Não quero mais ser um zumbi. O tarja-preta virou o pretinho básico. Se você espirrar no consultório, o médico te receita um. Parei. E, de "daqui a pouco" em "daqui a pouco", prorrogo a loucura para nunca. "Quem pensa sobre ficar louco, jamais vai ficar louco", me contou um dos muitos psiquiatras que fui largando pela vida. E eu me agarro nisso. Mentira, acho que tomei um Rivotril ontem.

Acabei de tomar outro. Há meia hora estou feliz, mas meu

cérebro guarda as lembranças terríveis da falta de ar e da sensação humilhante de não conseguir ser um adulto.

A maluca do avião não gritava mais, mas todos a sua volta gritavam, abafados, silenciosos, em cantinhos estraçalhados de unhas, em bolotas cutucadas de bochechas, em estalos gordos de pescoço. Gritavam as coisas todas que ela agora, infelizmente, estava muito digna para pensar.

Esfregando o Aladim

Clonazepam puxou o Escitalopram que puxou a Paroxetina que, anos depois, puxou a Venlafaxina. A derradeira, a descoberta, o clímax das drogas que são vendidas em qualquer esquina. Quando cheguei na Venlafaxina, através de um deus, um buda, um mestre absoluto chamado Efexor XR, sabia que tinha encontrado o nirvana.

A primeira semana com Efexor disparou em mim uma onda quente e eletrizante de prazer que rondava o couro cabeludo, corria pelo corpo até os pés e me fazia soltar uns gemidinhos, "uiammm" ou "eita que que é isso", onde quer que eu estivesse. Cheguei a comprar uma caixa de som para o banheiro, tamanha a necessidade louca que eu sentia de dançar no banho, como uma índia nua agradecendo a chuva.

Era tudo isso e muito mais: pênis para mim tinha virado novela espírita. Quem é que tem tempo e, tendo tempo, quem é que quer ver? O Efexor transformou minha libido na vista para as montanhas que os corretores de imóveis juram ter uma sacada de apartamento na Pompeia. Ninguém sabe, ninguém viu. Eu sentia tanto prazer em comer e dormir e simplesmente "estar dentro da minha pele", que o outro, o pau do outro, tinha virado algo surreal. Antes o pau era a "única boia possível num mar gelado e escuro", agora era um abajur obsoleto num quarto tremendamente ensolarado. Por que cazzo as pessoas ficam peladas se enfiando coisas e soltando sons? Seus ridículos! Tensão e tesão, entendi então, eram como aquela menina de duas cabeças que vi quando criança no programa do Silvio Santos e me fez ter medo da humanidade para sempre.

Claro que, em todos esses anos que passei experimentando diversos antidepressivos, não deixei de namorar e transar. Mas, a depender do remédio (infelizmente a maioria, vamos dar a real), algo muito drástico chamado anorgasmia pode te acometer. Não é que você não goze, mas pode demorar tanto que o sexo fica com cara de "fila para tirar visto".

O rapaz já consagrou seu momentão há cerca de duas horas, e você segue "quase sentindo o começo de um orgasmo". "Mas não para, não, que agora eu tô sentindo que vai." A língua do bom combatente já gangrenou; o pau dele já está há horas, cabisbaixo e esfolado, te observando à paisana, e o dedo médio do pobre amante não terá, até o próximo solstício de inverno, saúde muscular para mandar alguém se foder.

Comer uma mulher "medicada" é tarefa para pedreiros valentes, e não para garotos playboys angustiados que chamam um Uber a qualquer sinal de perigo. Mas, como em São Paulo, infelizmente, a moda é namorar hipsters e não empreiteiros, a gente acaba mentindo, muitas vezes, que teve um orgasmo. Sim, eu já menti várias. Algumas para "acabar logo com o tormento daquele pobre ser que, afinal de contas, tava ali pra se divertir e não pra fazer biópsia em mim" e outras porque "ah, se ele souber que sou um nabo sexual, talvez não me ligue nunca mais". Se já é complicado ser mulher, ser uma mulher medicada é complicadíssimo.

Mas nada que se compare a *não* ser uma mulher medicada, que é coisa complicada para além deste livro inteiro.

Falemos um pouco sobre "eu não medicada". Talvez eu gozasse só de o cara falar no meu ouvido: "vem comigo". Mas meia hora depois eu já estaria inventando setecentas e oitenta e seis histórias sobre ele, sobre nós, sobre ele em relação a ele, sobre ele em relação a nós, sobre mim em relação a ele, sobre mim em relação a nós, sobre nós em relação a mim e a ele. Acho que isso resume tudo. Eu disse que falaria apenas um pouco. Chega uma hora na vida que você tem que escolher entre ser uma magra tarada louca ou uma gordinha assexuada sã.

Fico de olho na balança para não passar de cinquenta e três quilos. Se deixar, chego fácil aos cinquenta e oito, e daí é ladeira abaixo rolando. Sinto prazer em comer. Eu que pedia sempre meia salada e ficava quebrando palitos de dente ou rasgando guardanapos em fileiras até que o tormento de comer na companhia de outro ser humano acabasse... agora tenho fome. Alguém me conta algo muito forte e difícil e angustiante e eu aguento. Agora eu tenho uma camisinha no cérebro.

A pessoa diz que está se separando ou que descobriu um tumor, e eu de olho no bife à parmegiana do cardápio. Tenho uma camisinha no cérebro e isso é férias depois de mil anos de bate-estaca. Obrigada, estupidez, por eu ter fome e sono e ser feliz.

Mas teve um namorado psiquiatra (nos conhecemos porque liguei no consultório para marcar uma consulta, ele gostou da minha voz e me convidou para jantar — sim, tem gente muito séria te passando receitinha azul) que deixou claro logo de cara: "não minta pra mim, nós vamos fazer você gozar de verdade mesmo com esse remédio". O "nós" aí claramente referindo-se ao seu gigantesco e múltiplo ego, e não a uma força conjunta de parceria no amor.

Foi quando começou a saga da cistite intensa com candidíase aguda. Você não deve transar mais que três vezes por dia, perdendo um tempo de pelo menos duas horas a cada vez, se você tiver passado dos trinta e dois anos. O pH da vagina tolera safadeza extrema só até os vinte e sete. Depois disso, você tem que trabalhar, pagar o plano de saúde dos seus pais, ter a decência de vez ou outra cozinhar em lugar de pedir Ritz, regar plantas, brigar com a atendente do Onofre em Casa porque seu relaxante muscular não chegou.

Eu e meu namorado estávamos correndo o sério risco de perder nossos empregos, amigos, hobbies, mas não perdíamos a chance de ao menos um orgasmo por dia. Nem que para isso ele esfregasse minhas inervações vaginais qual um retirante faminto ao encontrar uma lâmpada mágica. E o Aladim só sacaneando. "Agora vai, ops, ainda não." "Eita que agora vai." Só que não. Até que a gente vencia o Aladim pelo cansaço. Acho que ele saía lá de dentro só para a gente parar de bater tanto na porta.

Não tinha uma semana que eu não ligasse para a secretária do meu ginecologista e implorasse um encaixe. Um dia chorei na consulta, e ele me acalmou, melancólico: "se chama doença da lua de mel, tome esse antibiótico e aproveite bem: uma hora *isso acaba*". De fato, acabou. Depois de dois meses sentindo surrados orgasmos, honrarias que meu namorado carregava em seu peito "altivo demais para ser derrotado por um inibidor seletivo de recaptação de serotonina", resolvemos seguir com nossas vidas, não queríamos virar mendigos ou concorrer numa batalha interestadual de "casais que gozam mesmo com toda a indústria farmacêutica trabalhando contra".

Os números da felicidade

A felicidade só existe naquele minuto trinta e sete em que o Dorflex faz efeito e a nuca deixa de ser o pufe para os pés de um demônio gordo.

Só existe no décimo quarto dia do Efexor, quando os dedos dos pés se tornam fios desencapados e você sabe que só lhe resta dançar. Uma minhoca cósmica efervescente seduz todos os seus órgãos e termina em raios purpurinados nas pontas duplas do cabelo e você precisa dançar. Dançar como numa tribo, dançar como se suas ancas fossem escravas felizes açoitadas por uma música invisível, dançar como se o planeta estivesse há um século sem chuva e só você pudesse enfeitiçá-lo. Aonde foi fulano? Dançar no banheiro da firma, escondido. Você precisa dançar. Suas pernas não servem para mais nada a não ser isso: você sozinha deslizando a meia pelo piso da cozinha. Sim, você ficará gorda, e ficará anorgásmica, e ficará olhando estática uma amiga te contar: "morreram num acidente", enquanto pensa: "tá, mas preciso comer, cadê o risoto à carbonara que pedi?", e ficará cínica ao ver qualquer filme em que, "mesmo se amando, eles não conseguiram". Mas você vai querer dançar.

Só existe no minuto dezessete do Rivotril sublingual 0,25 mg. Quando o dedo empurrando suas amígdalas, "engula-se, seu puto", prefere desencanar e apontar para as estrelas. O mundo cheirando a uma chuva fina que caiu sobre uma horta de manjericão fresco, todas as quinas do mundo com "protetor fofinho pra criança não se machucar". Se você meter logo dois sublinguais, o que, vamos combinar, dá apenas meio remédio, é como se Jesus (não esse, mas aquele numa versão mais legal) e a sua mãe (não essa, mas aquela numa versão mais legal) celebrassem um ao outro, numa facção de proteção e bondade extremas, para te rodopiar docemente numa valsa celeste.

Só existe de verdade quando bate o tucundundum do "tô nem aí, mundão", mas para isso é preciso misturar Dorflex com Efexor com Rivotril e... com um Dramin. Não aconselho, pois pode dar misto de demência e labirintite e pressão baixa — o que meu psiquiatra chamou de "cê tá louca, idiota, podia ter morrido, imbecil".

Não acredito em nenhuma droga feita por "marcas" como Duda Maluco, Noinha, Zé do Branco e Piolho do Pavilhão. As boas drogas têm SAC.

Recreio

Camila era a mais velha de três irmãs. Na época devia ter uns onze anos, mas eu a via com uns quarenta e três. Subia no micro-ônibus com certa dificuldade, carregando uma mochila imensa da Barbie (que vinha com uma lancheira acoplada, com os mesmos desenhos), mas para mim era como se ela ostentasse toda manhã, dependurados nos ombros, um apartamento próprio com criadagem fazendo bolos variados e uma casa na praia com súditos sexuais. Eu tinha medo dela e a respeitava muito.

Eram irmãs "sofridas". O pai morrera de câncer fazia pouco menos de um ano. As duas mais novas eram apenas tristinhas. Mas no coração da Camila havia ódio. Ela estava naquela fase não passiva e muito nobre conhecida como "raiva do mundo", e eu achava uma coisa bonita de ver. Ela quebrava o pau na aula de religião, "sabia que a Bíblia era a favor dos escravos?", e eu vibrava por dentro.

Uma vez, na aula de geografia, ao ser repreendida por não ter feito o dever de casa (desenhar rios numa folha de papel-manteiga: a lembrança mais horrenda que tenho dos tempos de escola), ela respondeu (tão amarga, tão machucada, tão protagonista de um seriado dramático para adolescentes): "meu pai me ajudava a fazer essas coisas, mas ele morreu". E todas as crianças instantaneamente olharam para a professora: "sai dessa agora, fofa". Para que Camila precisava saber o nome da porra de um rio no Pará se a sua vida era uma escura água desenfreada que não desembocava em lugar nenhum? No fundo dos seus olhos dava para ver uma areiazinha movediça. Era uma garota com angústia latente e infinita, afundando em seu lodo pessoal e intransponível. Foi quando pensei: "é essa!".

Desde que entrei naquela escola, aos sete anos, eu sonhava em ter uma amiga que me entendesse. Alguém a quem pudesse falar coisas como "você acorda com medo, chora no banho, pensa em vomitar, unha um pouco a palma das mãos e pergunta como será a vida daqui a quarenta anos se você continuar assim?". Mas eu já devia estar com uns dez anos, e nada. Arrumava amigas para trocar papel de carta, brincar "de elástico", dividir um salgadinho Ebicen de camarão. Mas, para falar do quanto eu me sentia esquisita e apavorada, não arrumava ninguém.

Arrisquei uma vez com a Paula, mas ela arrotou suco de melancia na minha cara. Tentei com a Dani, mas ela me perguntou se era porque "nenhum menino olhava pra mim". Tentei com o Felipe, um gordinho da minha sala que sofria de enjoos (cheguei mesmo a amar esse garoto, eu achava que aqueles enjoos significavam que éramos almas gêmeas), mas ele me disse que não estava entendendo nada e que eu era feia demais e que nenhum cara do New Kids on the Block ia querer me beijar.

Minha esperança crescia dia a dia em relação a Camila. Na aula de português, estávamos aprendendo "descrição" e a professora botou um vaso lá na mesa dela. A redação de todos era aquela chatice de "pequeno, azul, bonito, com uma flor". Quando chegou a minha vez, lembro da professora Celina pondo as mãos na frente da boca, num misto de espanto e alegria. Eu tinha escrito: "longe, velho, acinzentado e com saudade". A classe inteira riu despudoradamente da minha cara, menos Camila. Camila me olhou com profundidade e, na minha fantasia urgente, chegou a sorrir para mim.

Então, uma quinta-feira, durante a "queimada" (ainda existe esse crime nas escolas? Consistia em tacar a bola com toda a força num coleguinha que não estivesse atento ao jogo: eu. Mas àquela altura eu já tinha aprendido o macete da "pouca destreza física" e pedia dispensa da terrível aula de educação física me utilizando de um atestado de prolapso da válvula mitral), tomei coragem e fui falar com a Camila. Assim como eu, ela estava liberada dessas aulas.

Quis saber se era medo de levar bolada; obviamente, não era. Ela estava "de castigo" porque dava boladas muito fortes nos outros. Eu precisava mentir que tinha sopro (e tinha mesmo, mas quem não tem?), já ela fora "convidada a sair pra aprender a se conter". Que mulher! Respirei fundo, e saiu: "amanhã, na hora do recreio, vamos conversar?".

Mal acabei de falar, me arrependi. Nada daquilo fazia o menor sentido, pois, se eu já estava conversando com ela! Que falasse logo! Mas ela não me colocou nessa posição desconfortável, não ficou me exigindo lógica, como fazia de forma cruel com os professores, não esfregou sua melancolia e dura realidade na minha cara sempre disforme por uma coriza alérgica que dura até hoje. Ela topou. "Tudo bem, amanhã na hora do recreio, em frente à lanchonete, daí eu te pago." E foi logo estendendo as mãozinhas e pedindo: "me empresta trinta preu comprar um lanche, amanhã eu pago o seu". Então era isso? Melhores amigas forever a ponto de "um dia eu pago o dela, no outro ela paga o meu!?". Já era oficial, então: eu nunca mais me sentiria sozinha.

No dia seguinte, na hora do recreio, percebi que existiam

duas "frentes da lanchonete". A frente de quem vinha da direita e a frente de quem vinha da esquerda. Achei um ângulo de onde pudesse supervisionar, evitando piscar os olhos, as duas frentes. Lá fiquei uma hora, sem comer, sem beber, sem fazer xixi. Esperando a Camila, esperando minha primeira conversa realmente legal com alguém que me entenderia. Só arredei o pé da frente da lanchonete quando, dez minutos depois do sinal, uma espécie de "supervisor do recreio" me puxou pelos braços. Ele era engraçado, gordo, gente boa, "vâmu, moça, coragem!". Eu não podia acreditar que minha musa do desalento, minha rainha do pesar, tinha feito aquilo comigo.

Vinte e cinco anos depois, num jantar na casa de um amigo diretor de cinema, sentei ao lado de Contardo Calligaris. Lembro de sentir algo parecido com o que vivi com Camila. Talvez ele pudesse me dizer alguma coisa sobre "você acorda com medo, chora no banho, pensa em vomitar, unha um pouco a palma das mãos e pergunta como será a vida daqui a quarenta anos se você continuar assim?". Dessa vez, porque afinal de contas eu já era adulta e, por fim, pertencia à tal de "hora do recreio ao lado de alguém que possa me entender", fui bem direta. Ele tirou com muita elegância uma espinha de peixe, colocou com muita elegância na beiradinha do prato, e com muita elegância me disse: "leva um chocolatinho na bolsa".

As idades e os parentes

Aos sete anos achei ter encontrado uma antena de barata dentro de um saco de salgadinhos. Mostrei à professora, na hora do recreio, e ela disse: "não é nada, vai pra fila". Tentei assistir às aulas daquele dia como se fosse um dia qualquer, anotar as coisas no caderno como se fosse possível "só anotar as coisas da lousa", mas na minha cabeça martelava: "antena de barata, antena de barata, antena de barata". Depois desse dia, comecei a achar, em tudo o que eu comia, outras partes da barata: as patinhas, um pedaço do casco, a outra antena, fezes. Minha avó dizia, quando eu tentava convencê-la de que aquele pretinho no canto do prato não era um arroz queimado e sim uma parte de barata: "um dia você ainda vai passar fome pra ver o que é bom!". Meu avô era mais paciente, e ficava me explicando que "pedacinhos de cebola queimam e parecem pedacinhos de barata".

Um dia liguei no escritório em que minha mãe trabalhava. Eu chorava tanto, que ela começou a chorar junto, "você caiu? Se machucou? Tá sangrando? Bateu a cabeça?". Não. Eu apenas tenho *muito* medo de encontrar pedaços de barata na comida, o que eu faço? Ela bateu o telefone na minha cara.

Chegou um período em que o caso se agravou tanto, que eu já tinha nojo de comer antes mesmo de estar na hora de comer. Acordava e passava mal só de pensar que seria um longo dia tendo que comer coisas que poderiam estar sujas. Hoje, podendo achar graça na situação, vejo que meu avô era um grande parceiro na mania. Ele tirava a casca da maçã e ainda jogava vinagre de maçã para lavar a maçã. Ele deixava as uvas de molho, também em vinagre de maçã, e eu pensava que maçã e uvas tinham o mesmo gosto, de vinagre de maçã. Ele separava meus copos e talheres e pratos dos copos e talheres e pratos dos outros. Ele comprava uma escova de dentes novinha para mim e fervia água para jogar nela. Ele fervia água e jogava no meu aparelho ortodôntico, o que, com o tempo, entortou aquele treco. Chegou uma hora em que até dos próprios filhos ele escondia as minhas coisas. Ninguém podia comer as últimas porções das melhores comidas e dos melhores doces nem "sujar" meu copo. Aniquilar "males invisíveis" era, depois de jogar basquete (uma bola muito limpa num quintal muito limpo), nossa brincadeira preferida. Cresci acreditando que a maior forma de amor é alguém sempre te entregar as coisas muito higienizadas.

Apesar da bolha esterilizada em que eu vivia, com a ajuda do meu avô (meus pais achavam um exagero, mas estavam trabalhando e era um alívio ter alguém cuidando de mim daquela maneira tão álcool-passional), uma vez tive uma infecção no intestino. As crianças ao meu redor tinham toda espécie de gripe e sarampo e catapora e piolho. Eu nunca tive nada. Meu avô dizia: "se essas crianças vivem doentes, é porque os pais não estão nem aí". Eu via uma criança com gripe e pensava: "coitada, ela é sozinha no mundo!". Até que peguei a tal infecção. Fiz exame e deu lá um bicho dentro de mim. Então meu avô não me amava tanto assim? Então o maldito bicho penetrou em nosso esquema de bolha de amor? Então tem furo na Matrix mesmo quando amam a gente e nos guardam em bolhas esterilizadas? Minha mãe chamou de "moscas que ficam nos doces na padaria que seu avô compra", pondo um fim triste à minha primeira idealização de relação perfeita.

"Boneca? Roupa? Viagem? Brinquedo? Jogo?" "Não, gente, eu quero um *microscópio*!" No meu aniversário de oito anos, foi isso que pedi de presente. Passei então a analisar, agora com lentes de aumento, todos os pedaços de barata que encontrava pelo mundo. Descobri que os pedaços de barata eram pedaços de coisas que eu não sabia o que eram e que, portanto, poderiam não ser nada ou ser tão sujas quanto as baratas.

Aos quatro anos eu tinha medo do número 5. Você faz dois tracinhos bem retinhos e "na deles", e então vem, em total descontrole e audácia, uma barriga bem metida botando um fim na calmaria. Essa junção de formas intensamente díspares me emocionava tanto que eu travava. Eu achava bem doido o número 5. Desenhar o 5 "por aí", tendo menos de cinco anos, era como fumar crack às escondidas dos meus pais. Eu tinha medo do que viria depois. Sífilis? Cadeia? Solidão? Tinha medo da invasão de maturidade fora de hora que entraria pela porta e me levaria para sempre dali. O número 5 me emanciparia de modo tão violento que o resultado seria um adulto corrompido e errado. "Você já sabe escrever o número 5, gata, agora é abraçar esse mundão."

Não é que eu não gostasse dele, mas o número 5 me deixava nervosa. Tinha também um lance, que ia além do seu desenho artístico, de o número 5 ser ímpar com muita personalidade. O 3 era um ímpar quase incômodo, mas "gostosinho", porque o terceiro elemento sempre era visto como uma forma de equilíbrio, qual os pezinhos de um banco com três pezinhos ou o *Vicky Cristina Barcelona*. Mas o 5... o 5 era ousadia. Era uma insistência no erro que abria precedentes para infinitas insistências no erro, só para citar algumas: 13? 29? E a angústia milenar que causa o 37?

Aos nove anos eu ficava sem saber se a bobeira já tinha dado e por isso eu pensava nela ou se eu estava com a bobeira por ter pensado nela. Eu mandava na bobeira ou ela mandava em mim? Se eu mandava, por que eu obedecia? Ter a bobeira era a pior coisa do mundo, mas era também uma honra. Lembro direitinho de olhar para as outras crianças — e sempre lembro delas descalças e comendo cachorros-quentes e dormindo suadas — e pensar: "elas não têm medo da bobeira porque são completamente idiotas. Não entendem como é louco isso tudo". Caramba, pense bem. É bem louco, não é? Talvez se eu conversasse a sério sobre isso com alguém da minha família... Mas quem poderia me acalmar?

Minha mãe gostava de praia e meu pai de mato. Minha mãe gostava de apartamento moderno na praia e meu pai de casinha bem simples no mato. Eles não se pareciam em nada a não ser numa coisa: os dois eram muito ansiosos.

Quando eu já tinha uns catorze anos (e já havia deixado um número razoável de rapazes petelecar com doçura as biquetas dos meus seios), minha mãe ainda me via como um nenê carente que poderia regurgitar leite materno a qualquer momento. Estávamos no Guarujá (na época, ir ao Guarujá era chiquérrimo) e eu demorei, do carrinho de sorvete até nossa canga, uns seis minutos. Quando cheguei com um Cornetto de chocolate crocante, vi gente abanando minha mãe, jogando água do mar com regadorzinho de criança na sua nuca e repetindo diferentes versões de uma frase: "calma, senhora, vai ficar tudo bem". Seis minutos antes minha mãe tinha a cor do verão e agora estava tão branca que pensei tratar-se de outro ser. Quando ela me viu, correu para me abraçar, apertar, bater, xingar. As pessoas esperavam uma criança de dois anos, e não uma adolescente chocada tentando segurar um sorvete numa das mãos e um ataque de riso na outra.

Dos dez aos dezesseis anos, viajei com meu pai para um hotel-fazenda em Serra Negra. Eu amava cada mosca e cada coreto e cada piscina aquecida daquele lugar. Foi lá que arrumei meu primeiro namorado. E também o segundo, o terceiro etc. Por causa de uma espécie de TOC bizarro, papai só conseguia viajar para aquele hotel-fazenda: fomos duas vezes por ano, por doze anos consecutivos. O máximo de insensatez que ele vez ou outra se permitia era: "amanhã a gente enlouquece e vai ver as águas de Lindoia".

Nas férias de julho de 1992, meu pai percebeu que eu curtia sentar no colo do Tio Cachorrão, e não exatamente porque sentia medo da brincadeira de mímica. Decidido a dar um fim àquela emancipada sexualidade da filha única, parou sua Quantum dourada em frente à área de recreação e jogou cinco faróis altos em mim como se dissesse, num jogo de flashes maníacos: "sai daí agora ou te arrebento". Papai nunca deu sequer um beliscão frouxo no meu braço. Nada. Nunca gritou, nunca me pôs de castigo, nunca ficou "de mal". Nadinha. Mas, em compensação, o farol daquela perua me botava na linha diariamente. O carro do meu pai me perseguia vigoroso, viril, macho, atrasando minha feminilidade criminosa e me paralisando mais uns anos numa puberdade ingênua. A fuça retangular fininha deixava os olhos da Quantum semicerrados, e eu temia demais aquele carro.

Minha avó não sabia se aceitava o convite do meu tio, filho dela, para ser madrinha do seu casamento. "Você não gosta da mulher dele?", a gente perguntou. "Eu tenho medo de precisar usar o banheiro durante a cerimônia", ela respondeu. Durante meses minha avó estudou todas as rotas de fuga da igreja e do salão de festas. Ela chegou a simular o casamento, no altar, acompanhada apenas da minha mãe, para prever como se sentiria e quanto tempo demoraria para chegar a um banheiro, se a coisa ficasse extrema. Existia, sim, um, coladinho ao altar, e já estava combinado com o padre que ele seria liberado para a mãe do noivo em caso de necessidade.

Lembro dela toda de lilás, com um chapéu lilás com flores lilases, e com uma cor de pele meio lilás tamanho o desassossego, me dizendo: "você ri, mas um dia vai ter a minha idade". Eu estava rindo de nervoso. Também tinha medo. Medo de sair de casa, de acúmulo aparentemente descontrolado de humanos num mesmo recinto, de pintar os olhos e os outros acharem que eu estava querendo ser sexy quando tudo o que eu estava querendo era que a coxinha não fizesse mal para o meu fígado.

Tinha uns oito anos na época, mas lembro de entender minha avó completamente. E lembro do meu avô e da minha mãe e do meu pai e dos meus tios entenderem minha avó completamente. Éramos uma família de ansiosos. Éramos profundamente ligados pelo amor (exagerado, italiano, português, mediterrâneo, latino, brasileiro, Zona Leste, Mooca, Tatuapé, sei lá) e pela colite nervosa.

Meu avô de vez em quando tinha "a coisa". Minha avó dizia: "deixa seu avô deitado, quieto, que hoje deu aquele treco nele". Eu perguntava: "que treco?", e ela respondia: "a coisa". Um dia, quando eu tinha uns onze anos, quis ver de perto do que se tratava, e vi que ele estava meio tremendo, meio triste, meio querendo que eu desaparecesse. Aquilo era muito parecido com a minha bobeira, mas no caso do meu avô chamavam de "coisa".

Eu insisti e ele apenas disse: "comi algo estragado". Naquele tempo não existia esse papo de síndrome do pânico, dizia-se que fulano "sofria dos nervos". Tinha uma galera ainda mais antiga que dizia: "ele é neurastênico". Hoje, meio Rivotril resolveria a comida estragada no estômago de vovô. Minha avó, autoritária e desbocada, mandava que ele andasse quando deitar não resolvia e que deitasse quando andar não resolvia. Uma hora, como toda ziquizira mental, "a coisa" passava.

Aos doze anos percebi que nunca mais amaria ninguém como amava a minha mãe.

Tipo passar as férias escrevendo cartas com declarações de amor para ela. Amava o chulé que emanava da sua meia-calça, amava os sapatos pretos de salto alto espalhados pela casa. Amava o cheiro doce dos cabelinhos da sua nuca. Amava como ela passava creme nas pernas no sábado à noite e depois a gente pedia meia margherita, meia frango com catupiry numa pizzaria chamada Florão. Amava que, desde que meu pai saiu de casa, era eu que dormia com ela. Amava tanto a minha mãe que a amava sexualmente também. Queria ver minha mãe pelada, queria ver minha mãe tomando banho, queria abrir a gaveta de calcinhas da minha mãe e sentir aquele cheiro de vários sabonetes "caros que ela ganhou de presente da mulher do seu chefe" que ela colocava ali. Amava ver filmes com ela até tarde porque ela arranhava minhas costas com as unhas e eu dormia em completo êxtase. Amava a sua gaveta de "roupas de ginástica", tinha cheiro de chiclete com suor e era tudo meio neon.

Amava como minha mãe chorava lendo os milhares de cartinhas que eu escrevia para ela. Amava que ela almoçava todos os dias em casa e então eu podia ver minha mãe à tarde e à noite e todos os dias. Como era bom amar alguém que saía todos os dias e voltava todos os dias. Eu amava ver minha mãe secando seus cabelos de leoa. Ela sempre cantava e dançava enquanto secava os cabelos. Ela me trazia doces e ria quando eu me maquiava e vestia as roupas dela e fazia aparições febris no meio da sala. Eu amava a meia listrada de rosa, azul e verde que ela sempre usava, uma bem quentinha. Ela tem até hoje e, quando eu vejo essa meia, me dá vontade de chorar.

Mas, quando eu tinha doze anos, minha mãe arrumou um namorado. A partir desse dia, comecei a ver minha mãe como mãe. E daí tudo desandou. Porque mãe é um troço bem insuportável. Mãe é um negócio de deixar qualquer um maluco. Mãe é muito bom, mas, pelo amor de Deus, que coisa doida é mãe.

Quando eu estava para nascer, os médicos avisaram minha mãe: "vai ter que ser cesárea porque ela não está numa posição favorável para parto normal e pode ser perigoso". Mas minha mãe havia lido que parto normal curava endometriose e insistiu, por mais de oito horas, que eu nascesse do jeito que ela queria, do jeito que a curasse. O que eu tinha para oferecer já era errado e eu ainda nem existia.

Minha mãe sabe meu CPF de cor e faz questão de dizê-lo numa cadência que ela chama de "mais correta" que a minha. Sempre que estamos numa loja e alguém pergunta o *meu* CPF, ela corre, se prontificando a dizê-lo antes de mim. Só ela sabe narrar meu CPF na forma correta de narrar os números de um CPF. Ela pensa que sou um braço dela que anda pelo mundo achando que tem vida. Sempre que visito minha mãe, fico sabendo depois, via longos e-mails sofridos, que foi pouco ou foi falso ou foi sem vontade ou eu parecia estar até com um pouco de raiva. Ela nunca mais se recuperou do fato de eu ter crescido. Acho que ela ainda espera que eu passe umas férias escrevendo cartinhas de amor para ela. O problema é que eu nunca mais vou amar tanto uma pessoa como amei minha mãe, nem a minha mãe.

Quando não fui para Buenos Aires

Paula resolveu fazer sua despedida de solteira em Buenos Aires, durante o feriado da Páscoa. Ficaríamos, nove mulheres, num hotel-butique e teríamos quatro dias para encher a cara, dançar, comer, fazer compras e relaxar no spa do hotel.

Boa parcela das pessoas saudáveis do planeta leria o parágrafo acima como "momentão alegria", sucedido de "vou com tudo". Mas eu já estava sem dormir fazia dez dias, temendo o tamanho da dor e da angústia que o périplo me traria.

Primeiro: eu não encho a cara (devido a medo de vômito, de perder o controle e à quase nula curiosidade por "ficar doidona" — seria apenas mais do mesmo). Segundo: tenho medo de estar num grupo que vomita e perde o controle e "fica doidão". Terceiro: grupo. A palavra encerra em si o pior que a existência pode produzir: acúmulo humano. Ter a arrogância de pescar no mundo "os meus" e sorrir com a debilidade dos apaziguados pela segurança do pertencimento. Pressentia minhas fezes agendadas e protocoladas e despachadas pelo grupo. "Não, Tati, cocô onze da manhã ferra com nove pessoas. Tente duas da madrugada porque o grupo decidiu que esse é o horário livre. Não seja egoísta!" Tirar de um ser humano seu direito a cagar quando bem entender é cem vezes pior que qualquer solidão.

Paula chamou também suas amigas do "ballet", garotas que eu conhecia de um frio e entediado "oi, como é que tá?" (os olhares clamando tímidos, por cima de sorrisos embotados: "por favor, não responda à minha pergunta pro forma e desinteressada, não vou com a sua cara") das festinhas na casa dela. Qual a chance de alguém que estava lendo Kierkegaard, *O conceito de angústia*, ser feliz com "as amigas do ballet da Paula"? Não que eu não goste de balé (eu falo *balé*, a Paula fala *ballet*), mas tratava-se de ex-alunas de um balé perdido na infância que se converteram em esposinhas doidas para discutir as dicas quentes de como fazer o mais prático enxoval em Miami.

Quatro dias com essas pessoas. Encontrando no elevador do hotel, no café da manhã, vendo essas pessoas levarem garfos à boca, darem goles em líquidos, gastarem solados. Decorando o cheiro dessas pessoas, decorando como é o nariz cheio de cravos dessas pessoas depois de uma base vencida. Vendo essas estranhas, no mais amplo sentido da palavra, dizerem: "já venho", "ai, tô acabada", "nossa, que legal" e me acostumando a elas. E pegando amor por elas, me agarrando a elas porque seriam "tudo o que eu tinha" em quatro dias que durariam uma vida. Amando essas pessoas que eu jamais amaria num contexto seguro, apenas porque fico como uma criança em carne viva quando estou longe de casa.

Quatro dias fazendo parte do teatro "vamos brindar de forma muito intensa nessa foto, com nossas tacinhas da alegria, e vamos também chupar a bochecha pra dentro da boca, pra parecer que temos a ossatura facial das modelos". Comecei a temer a morte.

"Não vou mais, desculpa." Eu tomava banho, lavava louça, regava plantas, dobrava folhas de alface, pegava trânsito e fazia bolinhas de meia pensando essa frase maravilhosa. A frase mais maravilhosa da língua portuguesa. Eu sussurrava baixinho, embaixo das cobertas, só para mim: "não vou mais". E depois, espreguiçando o corpo embaixo das cobertas, dizia, agora um pouco mais alto: "desculpa". Me sentia tão humana, tão passível de perdão. "Não vou mais" magoaria minha amiga. Mas "desculpa" (eu lançaria a ela um olhar tridimensionalmente ensimesmado, misto de "eu sou assim, fazer o quê?" e "não queria ser assim, percebe?" e, "sendo assim, sofro mais que você, que só tem que me perdoar por eu ser assim") talvez a sensibilizasse.

Não tive como falar com Paula, ela estava superocupada com o casamento. Ocupada em emagrecer, ocupada em provar doces, ocupada em escolher entre o convite rococó vintage e o convite moderno romântico. Sério que algumas mulheres param *meses* para isso? Tenho horror a festas de casamento.

Tenho horror a mulher superocupada com o casamento. Horror a mulher que está ficando *louca* com a festa do casamento. Sério? Temos aí vírus ebola, Estado Islâmico, volta da inflação, amigos que contam sobre "um câncer silencioso", a certeza absoluta de que todos morrerão e que nós somos todos... e a Paula estava *louca* com a festa do casamento.

Casar é chato, por favor, não festeje. Mas, se festejar, tudo bem, só não dê trabalho aos outros. Não faça listinha de casamento, não faça listinha de coisas de cozinha antes da listinha de casamento. Não faça listinha de lingerie entre a listinha das coisas de cozinha e a listinha oficial. Não case longe da casa das pessoas. Não obrigue seu amigo a pegar avião, reservar hotel. Já não bastam as inúmeras listas de presentes e os inúmeros encontrinhos entre amigos antes do casamento? Você está casando, mas isso não lhe dá o direito de ser insuportável. E o mais importante: por favor, não tire foto romântica P&B na Paulista. Não obrigue aquele bando de convidados com fome a ver, "*antes* de poder atacar os doces", suas fotinhos quando criança magrela em Santos. Não deixe tocar um hino de futebol na entrada do noivo, no dia do enlace. Não chame um padre e, sobretudo, não deixe um padrinho "falar à vontade" no lugar de um padre. Os padrinhos não são padres, mas também são bem chatos.

A Paula não podia falar comigo porque estava supertensa, medicada de tão tensa, com pressão alta de tão tensa, porque estava escolhendo músicas com o DJ. E eu não conseguia dizer a ela: "desculpa, mas não vou na despedida de solteira. Chega de me dar trabalho, o.k.? O que você quer de mim? Que amor é esse que você me pede? Que eu ature suas amigas do 'ballet' num avião, num hotel, num almoço com tango? Cospe catarro na minha cara, mas não me peça isso. Já basta aturar você 'superocupada, há mais de seis meses, com um casamento'. Não é com um doutorado, não é com uma reforma para otimizar a casa, não é com um trabalho. É só porque você resolveu fazer uma festa e há um ano só fala dela. É só porque chegou o século XXI e você fez a desentendida".

Tentei ligar, mandar mensagem, e-mail, encontrar pessoalmente. Tentei de todas as formas avisar que não iria, mas a Paula estava *ficando louca* com a empresa "das flores". Que tipo de criatura *fica louca* de quase infartar com uma empresa de flores? Percebi que a única maneira de dizer a Paula: "desculpa, não vou, eu sou assim, desculpa" era ir até o fim e, daí, não ir.

Fiz a pior mala de toda a minha vida. Esqueci desodorante, chinelo e carregador do celular. Esqueci o passaporte. Esqueci que tinha lido uma matéria dizendo: "só com identidade não embarca", tem que levar o passaporte mesmo sendo tão pertinho. Fui, até chegar minha vez no check-in. E daí a atendente da Gol proferiu a santa sentença: "sem passaporte não embarca". Promovi um escândalo. "Como não!? Então o quê? Pelo amor de Deus. *Eu preciso ir.* É uma viagem muito importante pra mim!" E começou a juntar gente. E as amigas do "ballet" começaram a me acalmar.

Até que madame noiva apareceu. Só assim para chamar a atenção da superestrela de Hollywood. Puta da vida que teve que desligar o celular: estava discutindo o orçamento com o "bartender malabarista". Expliquei que eu não poderia embarcar, pois não trouxera o passaporte. Ela respondeu: "tudo bem, vai buscar". Coloquei "casa" no Waze e mostrei o tamanho do caos em que nossa cidade vivia fazia anos. Ela não devia saber, porque fazia anos que estava ocupada pensando no casamento. De Guarulhos até "casa" estava dando mais de uma hora, fora a volta. Ela respondeu: "tudo bem, a gente contrata o serviço de um motoboy". Antes que ela prosseguisse, tratando minha impossibilidade de viajar como mais um dos inúmeros problemas contornáveis relacionados ao seu casamento, expliquei, encerrando a discussão, que não tinha ninguém em casa. Pois ela deu continuidade ao martírio, concluindo que minha mãe devia ter uma cópia da minha chave. E foi ligando para a casa da minha mãe. Expliquei que minha mãe estava internada no hospital havia dias, com crises fortes de labirintite. Mas, no meio da minha explicação, minha mãe atendeu o telefone. Foi quando segurei os bracinhos agora finos de Paula e pude experimentar um prazer único e maravilhoso, que me deixaria para todo o sempre viciada: "eu não quero ir. Eu não quero ir. EU NÃO QUERO IR".

Esse parque é enorme

Eu estava com a Júlia no Parque Ibirapuera. Júlia, cerca de sete anos depois, se mudaria para Berlim e me ligaria um dia, "estou com câncer, estou com medo, vem me ver". Não fui ver a Júlia porque ensaiei inúmeras vezes comprar as passagens e não consegui. Na hora de "finalizar a compra", eu sentia o baço, os pulmões, os rins, os ossos da nuca, o dedão. Uma conjunção de pedacinhos latejando a palavra "não". Um estado hipervigilante por (e de) todo o corpo traduzia o que o sangue dizia ao passar pelas veias: "*não*. Não saia de casa!".

Avião mais viagem mais amiga doente soaram como um tridente demoníaco e eu travei. Não era apenas o problema de ter que me dopar (o que também gera um medo absoluto: vai que me dá um AVC ou uma trombose? Misturar Dramin e Rivotril no avião não deve ser bom, tem toda uma questão da pressão lá dentro e esses remédios mexem com a pressão arterial e tudo isso só piora porque também sofro de enxaquecas e já tomei muito anticoncepcional, mas só faço viagens longas se puder me dopar com Dramin e Rivotril, e de tentar equacionar esses dois lados já me sinto ofegante e já estou passando muito mal e nem comprei a passagem). Cheguei mesmo a discutir na terapia quanto eu amava a minha amiga numa escala de zero a cem. Sendo zero "quem é Júlia?" e cem "eu gerei esse bebê e dou minha vida por ele".

Júlia marcou oitenta e três pontos. O suficiente para classificá-la como "amiga pra cacete, quase irmã e estou profundamente triste e preocupada", mas um número muito pequeno para que eu conseguisse largar por míseros cinco dias todos os meus trabalhos e minha cachorra e meu namorado e meu computador e minha TV e meu pilates e minha terapia.

O fóbico é um "tadinho" arrogante, o fóbico é um amigo de merda. O fóbico é cheio de "meu isso e meu aquilo" porque essa certezinha fantasiosa maluca de "possuir objetos e humanos e animais e afazeres" lhe dá alguma garantia de que ele ainda existe, de que não se desintegrou na última crise de pânico (apesar de sua personalidade ter se dissolvido em milhares de bolinhas de gude, como já narrei aqui).

Mas, enfim, voltemos ao Parque Ibirapuera. Eu estava lá com a Júlia. Era sábado e fazia sol e nós caminhávamos felizes. Eu sempre caminhava feliz com a Júlia porque, apesar de a pontuação não ter batido os pontos da irmandade consanguínea, gosto mais dela que de noventa e nove por cento dos meus parentes. Foi quando uma criança passou de bicicleta e gritou para outra criança em outra bicicleta: "tá, mas em qual portão? Esse parque é enorme!". Qual portão, hein? Não adiantava marcar "te encontro no portão" porque a criança A se perderia da criança B, pois tratava-se de um parque *enorme*. A gente estava perto de qual portão? Automaticamente pensei, e para esse pensamento tão velho conhecido bastam alguns milésimos de segundo tão primitivos que são como bisavós do raciocínio: se o parque é enorme e não se sabe ao certo qual *o portão* mais próximo... se eu passar mal, demorarei *muito* para conseguir sair daqui. E essa demora me levará a passar muito mal de fato e morrer de vergonha antes de, talvez, vir a de fato falecer.

E por que eu passaria mal numa linda manhã de sábado? Não sei, mas já estava passando supermal. Motivo do óbito: de pensar que morreria, morreu. Motivo do óbito: parque muito grande. Motivo do óbito: não sabia qual era o portão mais próximo.

Deito na grama, esparramada como uma bêbada em coma, mais branca que a meia de Júlia. De onde estou agora, só vejo a meia dela. Ela continua em pé, procurando ajuda. Levei uma porrada na nuca, um soco na boca do estômago, um elefante sentou em meu peito, amarraram um saco em minha cabeça. E nada disso de fato aconteceu. O corpo está tão eletricamente preparado para correr uma maratona no deserto, que só consigo ficar deitada, tanto estímulo derruba minha pressão a níveis "falo enrolado e os dedos endurecem". Eu gostaria de dançar cancã no gelo e de voltar para o útero, ao mesmo tempo. "Que foi, que foi, que foi?", pergunta Júlia, entre o querer rir, a vergonha profunda dos carinhas gatos que passam e nada fazem, e o medo de ter que me carregar mesmo sendo magrinha e tímida.

Dois anos depois, Júlia terminaria um namoro e ficaria muito deprimida. A tristeza culminaria em sua primeira crise de pânico no trabalho, numa reunião. Ela me ligaria à noite para explicar: "eu já tinha feito xixi, mas tive a certeza que poderia fazer xixi de novo e que não conseguiria conter mais nada em mim". Mas, deitada ali na grama do Ibirapuera, dois anos antes dessa conversa com Júlia, só me restava explicar a ela: "sei que parece frescura, sei que você não entende, mas é mais forte do que eu. Eu preciso de água, mas não tenho um centavo".

Júlia também não tinha um centavo. Tínhamos resolvido dar uma caminhada sem levar a bolsa. Hoje em dia não saio de casa sem dinheiro (suficiente para que eu pague um taxista para me levar correndo a um bom hospital — apesar de nunca ter precisado ir a um hospital por causa disso), sem sal (pressão baixa), sem algum doce (hipoglicemia), sem Rivotril (ando com uma cartela cheia para o caso de precisar de vários para "me desligar da tomada em situação bizarramente angustiante como ter que ficar sobrevoando minha casa por horas porque a merda do avião estava sem 'pouso confirmado' devido ao tráfego intenso do horário"), sem Dramin (enjoo), sem Dramin B6 (para quando não quero ficar com muito sono), sem Vonau (enjoos mais intensos, "fodeu, acho que comi algo definitivamente estragado e esse enjoo não é aquele de 'se sentir mareado pela vida', é um enjoo sênior"), sem Dorflex (dores no pescoço me dão enxaqueca que me dá enjoo que me dá pânico porque tenho medo de vomitar), sem Magnésia Bisurada (acidez estomacal me faz pensar em endoscopia e, tirando a parte que a injeção da endoscopia é a única diversão para quem tem medo de drogas festivas, endoscopia me dá muito medo) e sem Luftal (já fui internada para operar apendicite e descobriram que eram gases, então não gostaria de ficar nessa dúvida nunca mais), mas, naquela calma, bucólica e fraternal manhã de sábado, eu ainda não havia aprendido a levar minha bolsa com todas as coisas que me acalmam para todos os lugares, ainda que seja o térreo para pegar e pagar a pizza.

Sem dinheiro, sem bolsa e sem condições de me mover, vi um carrinho vendendo água de coco e desejei morar dentro de um coco. Ele me refrescaria, reporia meus sais minerais, meu açúcar. Ele era o soro que algum ator global ensinava a fazer na TV, quando eu era criança, para combater não lembro que doença tropical. Me soou caseiro, me soou mamãe, me soou Jesus. Ordenei (a pessoa em pânico está cagando para convenções sociais) que o homem do carrinho de água de coco me desse um coco. Ele se negou. "Fiado só amanhã." Mas eu estava morrendo e não tinha dinheiro. Ele foi se afastando. Pensei em mostrar o mamilo esquerdo, pedir a Júlia que mostrasse o direito. Seriam dois peitos por uma água de coco. Júlia segurou no braço do homem e disse, calma, feminina, doce: "então fica parado aqui, alguém vai vir comprar água de coco, e eu vou pedir pra esse alguém dar um pouquinho pra ela". E apontou para a minha carcaça, agora sentada na grama, pensando se os mendigos espalhados pelo país não eram pessoas que jamais voltaram de suas crises de pânico.

O bom homem desistiu de nos negar aquele néctar que custava dois reais e nos ofereceu um copinho com um pouco da benfazeja água. Júlia veio toda feliz me trazer o copo, pensando que eu tomaria a água de coco e em segundos retornaria ao estado "a amiga que ela chamou pra passear no parque, e não essa maluca chafurdando numa grama mijada por uma imensa matilha de criaturas peludas de todas as classes sociais", mas, para sua ojeriza e impaciência, eu derramei a água sobre minha cabeça. Até hoje não entendi direito o motivo, mas estava tremendo tanto e com tanto calor no cérebro, que a coisa toda aconteceu, de novo, mais rápido e mais forte que a razão.

Meia hora depois eu andava qual um bailarino maltrapilho do clipe de zumbis do Michael Jackson. Ainda sentia náuseas e medo, mas o pior já tinha passado. Minha testa e bochechas e queixo estavam cobertos de mini-insetos mortos e mini-insetos que lutavam pela vida. Todos devidamente colados na água de coco que havia banhado meu vexame e depois secado grudenta em minha pele. Júlia, que só dois anos depois entenderia que "nem sempre uma vontade de mijar é real", me apressava e reclamava, "você precisa ver isso, aumentar as consultas ao psiquiatra, não dá pra ficar assim passando mal do nada". *Como assim, do nada?* Fazia calor, aquele parque estava lotado, aquele parque era enorme. Se essas não são coisas terríveis, eu devo pertencer a outro planeta. Por isso o fóbico é também um melancólico, um filho sem pátria. Marte nos expulsou sem sequer termos conseguido fazer as malas.

Ela está curada do câncer. Mesmo quando ainda estava doente, veio duas vezes ao Brasil, ver os amigos. Mesmo quando ainda estava doente, conheceu a Tailândia, a Índia, a Rússia. Eu ainda não conheço Berlim.

Eu não desmaio, dr. Guido

Eu morava num apartamento de quarenta e três metros. Os "três" metros sobressalentes, número que explodia em luxúria na boca do corretor "de plantão", referiam-se a uma microvaranda na qual só cabia uma pessoa sem cadeira ou uma cadeira sem pessoa. A decoração era um mix "faço o que quiser com meu dinheiro" com pouco dinheiro. Foi meu primeiro apê e eu o amava muito.

A sala era toda roxa com persianas pretas deformadas (um dia esqueci a janela aberta e o vento entortou tudo, eu achava "artístico"). O carpete de madeira "puxava pro lilás" para "ornar". Carpete de madeira é um troço para o qual nunca mais quero voltar. Eu olho para o meu atual piso "restaurado de madeira boa" e penso como Scarlett: "nunca mais sentirei fome".

Mas a *Casa Vogue* (ou a *Casa Claudia*, juro que não lembro) cismou comigo para a matéria "O cantinho da escritora". Tentei explicar que minha casa inteira era um cantinho. Que a pia da cozinha conversava com o vaso do banheiro que conversava com o criado apesar de este ser mudo. Que o lugar onde eu escrevia era entre o pé da cama e a porta de entrada. Mas eles foram lá mesmo assim.

Ao chegar, a repórter teve um ataque. O oposto daquele tipo de ataque (síndrome de Stendhal?) que temos ao ver um quadro que nos emociona muito em Florença. E ela mandou vir cadeiras, tapetes, quadros, almofadas... tudo emprestado de outra sessão de fotos. "Já que estamos aqui, preciso de uma casa bonita pra matéria!" Eu pedindo: "pelo amor de Deus, melhor a gente deixar pra lá", e ela repetindo o tempo todo: "mas é pra te ajudar".

Aquilo foi me dando uma preguiça desgraçada de existir, um bode imenso por ter aberto a porta para aquela gente, uma ansiedade gigantesca por todo o trabalho que eu poderia estar adiantando, quieta, de pijama, se não tivesse topado a palhaçada de posar numa sala que agora nem era minha, com uma pose que eu nunca fazia quando estava sozinha em casa e... tive uma crise brava de pânico. No meio da sessão de fotos, comecei a achar que ia morrer e que minha morte sairia impressa em "cores cheias de bossa" na matéria "O cantinho da escritora" da *Casa Vogue* ou *Casa Claudia*.

A repórter, ao ver meu estado, me deu um cartão. "Olha, o dr. Guido salvou a minha vida. Ele é o *papa* das crises de pânico. Eu tenho, meu marido tem, meus filhos têm, minha mãe tem, meu ex-marido tem" (bom, então o cara não curou ninguém, confere? Ele só disseminou a bosta pela família). "Ele atende no Einstein. Promete pra mim que você vai lá?"

Depois que expliquei tudo, muito rapidamente o neurologista concluiu que meu problema de "passar mal" não tinha nada a ver com ansiedade, angústia ou maluquice. Me deu uma caixa de Propranolol e me desafiou para um teste: "tome dois comprimidos desses por dia e volte daqui a um mês. Você vai me agradecer muito!".

E foi logo me encaminhando para a porta, com a pressa típica dos médicos de plano de saúde. E eu fui indo, com a passividade típica das pessoas que vão a médicos de plano de saúde. Quando lembrei que estava pagando novecentos reais pela consulta. Voltei e sentei. "Explica melhor."

Dr. Guido me deu explicações sobre a síndrome do vasovagal, que faz a pessoa desmaiar. Sobre o oxigênio que não chega direito ao cérebro e por isso a pessoa desmaia. Sobre a pressão que baixa e o coração bate mais rápido para não deixar a pessoa desmaiar. Sobre o desmaio que faz a pessoa cair para que a pressão possa voltar. Sobre o suor durante o desmaio para que a pressão volte ao normal. Sobre como estressar o sistema nervoso autônomo causava desmaios. Sobre como, a depender da contração dos vasos, o desmaio poderia durar tempo suficiente para gerar uma convulsão. Ele realmente se entregou ao tema. Só havia um problema, e tentei explicar com alguma paciência: *eu não desmaiava.*

Eu tinha crises de ansiedade. E foi quando ele se levantou, como um típico lacaniano cara de pau, sorriu, como um típico lacaniano cara de pau, e me convidou (com o silêncio típico de um lacaniano cara de pau) a confiar nele e voltar "dali a um mês". A cara de pau não é só dos lacanianos e não funciona só com pacientes de lacanianos. Sempre achamos que todo "misterioso ocupado" está armando em silêncio um grande momento de revelação e cura para nós.

Já estava saindo do consultório quando lembrei que ele não era um psicanalista lacaniano, e voltei a sentar. E desatei a chorar. "Então o senhor jura que não sou louca? É só 'sei lá o quê, nada a ver com psiquiatria e tal'?" Ele jurou. E eu fui embora.

Bom, minha experiência com o Propranolol foi das coisas mais esquisitas. Eu podia correr loucamente na esteira, ouvindo Rage Against the Machine, que não acontecia *nada* com meu coração. Poderia andar numa montanha-russa daquelas com diversos loopings no escuro, que meu coração não dispararia nem por um segundinho. Podia transar com um protagonista gato de novela na microvaranda de três metros, que eu nem suava. Desisti do remédio no quinto dia e voltei ao neurologista. Se o preço para viver melhor era me sentir morta, alguma coisa estava errada.

Antes, descobri que Propranolol era o queridinho dos que têm medo de falar em público. Aquela coisa de gaguejar ou tremer segurando o papel com o discurso acabava dez minutos depois que se tomasse um comprimido. Pois é, meu amigo, parecia maturidade, mas era só remédio. A partir daquele dia nunca mais assisti a uma palestra TED sem desconfiar que o orador estava drogado. A verdade é que nunca na vida assisti a uma palestra TED.

Quando voltei ao consultório do dr. Guido, ele resolveu que me provaria, agora mais drasticamente, que meu problema era a pressão arterial, e não neurose. Me preparou então para o que seria um dos piores momentos da minha existência: o *tilt table test*, popularmente (não) conhecido como "teste de inclinação ortostática".

Primeiro, você tem que chegar ao hospital como um refugiado faquir pagador de promessas. Eu estava sem comer fazia umas dez horas. A visão já turvada pela hipoglicemia, a audição já chiada pela pressão baixa. Daí, uma junta médica formada por um cardiologista, um neurologista e um assistente bonzinho com cara de "não vai ser fácil, o paciente que fez o teste antes de você teve um rim arrancado pela axila, mas eu estou aqui" vem te receber. Nem quando nós morremos aparece tanta gente qualificada e solícita, por aí você já tem uma ideia do que estava por vir.

O teste consiste em avaliar como a pressão reage às mudanças de postura, para isso te amarram com cintas de couro numa maca e ficam brincando de te colocar em várias posições. Não contentes, quando você está a uns trinta centímetros de beijar o pé dos médicos, completamente tomado pela fúria assassina de uma hipoglicemia desumana, com vontade de gritar num alto-

-falante: "ou vocês me tiram daqui ou eu vou processar vocês e quebrar essa porra inteira e...", eles te metem um sublingual "para seu coração disparar loucamente" e eles poderem "ter um mapa de como seu corpo funciona durante uma síncope".

Sim, os olhos reviram, as mãos entortam, a ideia do exame é que você passe muito mal para que, no fim, eles possam te dizer o seguinte: "olha, se você ficar dez horas sem comer, amarrado quase de ponta-cabeça numa maca e a gente te enfiar uma espécie de MDMA legalizado na boca, você vai passar mal". Valeu, *tilt table test*! Que surpreendente esse resultado! Minha pressão foi a três por três e eu precisei de massagem no antebraço para que as veias não pulassem para fora. Só não vi a morte porque estava cega.

"Você tem disautonomia", me informou então o dr. Guido. E explicou que o sistema nervoso autônomo é formado pelo simpático e pelo parassimpático. O simpático é o que faz o coração, por exemplo, disparar para que a pessoa não desmaie. O parassimpático é o que faz o coração, por exemplo, parar de disparar para que a pessoa não tenha uma parada cardíaca. Quando esses dois, apesar de tanta simpatia, não entram num acordo, a pessoa passa mal e... pode desmaiar. Por isso eu desmaiava, era a conclusão do dr. Guido.

Só que *eu não desmaio*, dr. Fucking Guido. Entende? Eu limpo todos os cantinhos de casa quando acho que comi doces em excesso. Só que ficar de quatro limpando cantinhos me dá mais angústia, e daí eu como mais doces. Eu rego as plantas da minha varanda oito vezes quando tenho que entrar num avião porque "vai que eu morro e elas ficam muito tempo sem ninguém regar", só que eu perco o voo porque não consigo parar de regar as plantas, percebe? *Eu não desmaio*, dr. Guido.

Nenhuma das alternativas anteriores

Me falaram de um monge no Itaim. Eu sei que “monge” e “Itaim” na mesma frase deveria ter disparado um alerta, “perigo, você será deslavadamente enganada”, mas no desespero a gente tenta de tudo. A casa antiga estava abarrotada de bonsais, e o monge era gente boa e servia comida vegetariana orgânica depois das aulas.

A galera levava sacos de dormir, almofadas, travesseiros, mantas. A meditação durava duas horas, mas em dez minutos a sala inteira já estava roncando alto. Senti carinho por aquelas pessoas. Elas não precisavam de paz interior, elas precisavam de paz exterior. Um cara estava fugindo para não voltar para casa e encontrar seu bebê berrando em decibéis que ultrapassavam os limites do amor. Uma adolescente estava fugindo para não voltar para casa e encontrar uma mãe que havia transformado suas múltiplas frustrações em múltiplos motivos para mudar a personalidade da filha. Uma senhora estava fugindo para não voltar para casa e ouvir o barulho infernal dos vizinhos adolescentes que tinham montado uma pista de skate no quarto. Era gente que pagava para dormir por duas horas longe de casa.

Em meu terceiro dia na escola Utopia, eu ainda tentando entender o lance de prender o ar da narina direita com o indicador esquerdo e soltar o ar da narina esquerda prendendo o ar da narina direita com o indicador direito (ou nada disso, na verdade), o monge disse que aumentaria o valor da aula. Ele tinha uma Pajero novinha na garagem, mas estava tenso com o preço de uma cirurgia que faria. "Coisa grave?", alguém perguntou. "Não, eu só não aguento mais ser prognata e vou reconstruir meu rosto." Aquilo era muito esquisito.

Ele tinha cinquenta anos e a namorada, de dezenove, era uma das suas discípulas. Uma vez ele teve uma iluminação: outra garota, de vinte e dois anos, que acabara de entrar na escola, era sua alma gêmea! Mas, como a de dezenove também era sua alma gêmea, ele entendeu que o cosmos dividiu em duas metades a sua cara-metade. E que ele só estaria completo com as duas, e elas toparam.

O monge queria nos convencer a comprar terrenos em Alto Paraíso de Goiás, único lugar que permaneceria intacto após o fim do mundo. Queria nos convencer de que uma das alunas, uma menina aparentemente gente boa e muito tímida, furtava o dinheiro das nossas carteiras enquanto meditávamos na sala. Ele havia "sentido" que era ela. E todos passaram a tratar a garota muito mal. Até que ela parou de frequentar a escola e o dinheiro continuou desaparecendo das carteiras. Mas estava *mesmo* desaparecendo? Ninguém sabia direito, alguém falou que sim. Mas esse alguém falou só porque outro alguém tinha falado. E a comida não era orgânica, eu descobri ao ver as embalagens no lixo.

A sócia do monge era uma professora de ioga extremamente antipática, bombada e agressiva. Eu tinha medo de ficar de ponta-cabeça (me sentia insegura e não tinha força suficiente para me manter nessa posição, já que eram minhas primeiras aulas) e ela simplesmente desistiu de mim. Não me olhava na cara. Eu já havia sofrido bullying aos cinco anos, por ter medo de virar cambalhota. Ela estava trazendo toda aquela angústia à tona de novo, e, por Deus, era só para ser uma revigorante aula de ioga! Um dia insistiu tanto para que eu completasse "a invertida", que dei um coice na cara dela. Sem querer. O nariz sangrou. Foi o sem querer mais maravilhoso e assertivo da minha vida.

Me falaram de uma especialista em constelação familiar que morava em Cotia. Acho que foi a Renata. Sim, foi ela mesma. Lembrei agora do meu "penne com aspargos e presunto cru" chegando à mesa (estávamos no Ritz dos Jardins) quando a Renata bebeu decidida uma imensa quantidade de suco de abacaxi com hortelã e disse, baixinho, com medo de o superego dela ouvir e não suportar tanta ingenuidade: "essa mulher é uma bruxa e mudou a minha vida!".

Eu não ia entrar naquela. "Não, não, por favor, nem comece." Mesmo quando somos mais cerebrais e cínicos, o místico tem um apelo. Quando a gente tem trinta e poucos anos e está solteira e sem grana e tendo vários ataques de pânico por semana, o místico é como uma boia gigante em formato fálico num mar enegrecido e gelado (sim, eu repito as frases). "Então não fale nada. Não, por favor. Cadê o endereço dessa santa?"

Primeiro, constelei com almofadas. Eu sei, essa frase não faz nenhum sentido para você. Bem, fiquei numa sala, com várias almofadas na minha frente. Cada uma era um parente meu. E eu tinha que dizer àquelas almofadas-parentes que eu era eu, e elas-eles eram elas-eles. E que eu não merecia carregar, em minha vida de terríveis dores nas costas, as mochilas de frustrações e paranoias delas-deles.

A bruxa-terapeuta espalhou as diferentes almofadas (pequenas, coloridas, fofas, gordas, com pelos, velhas, mofadas, de veludo, feitas à mão, compradas em promoções da MMartan, importadas) por todos os cantos da sala e eu tinha que, numa espécie de transe guiado por ela, me posicionar em cima de cada uma e narrar o que eu sentia. Fiquei tentando adivinhar o parente pela "cara" da almofada (a amarela, certeza, era Cidinha, minha tia-avó que teve hepatite e nunca mais voltou à coloração original), mas a terapeuta olhou para mim e, muito sincera e fria, disse: "com cinismo meu trabalho não funciona".

O intuito era proclamar minha independência, qual um Pedro I que toma coragem para se tornar rei de si mesmo, perante almofadas que representavam meus parentes, os vivos e os mortos. Eu seria então, por fim, um ser liberto da ziquizira energética e interestelar de todos eles.

Quando cheguei a uma almofada rosa e gordinha, comecei a chorar e agarrei a almofadinha azul que estava ao lado. Eu chorava e abraçava a almofadinha e falava sem parar: "meu filho, meu filho, meu filho". A terapeuta me disse que aquelas eram, respectivamente, "minha avó e o filho que ela havia perdido ainda bebê". Por uns dias fiquei estranha, deprimida.

Na sessão seguinte, durante ao menos uma hora repeti exaustivamente à almofada-minha-mãe que eu já era adulta. Até que minha voz começou a soar como a de uma criança e foi assustador. Expliquei à minha-mãe-almofada que éramos pessoas distintas. Depois, eu deitada no chão com a almofada-minha-mãe em cima, a bruxa-terapeuta fez uma espécie de "corte atrasado de cordão umbilical". Senti alívio quando ela tirou a almofada-minha-mãe de cima de mim, não posso negar, mas talvez o fato de a almofada estar cheia de pó e eu sofrer de rinite tenha contado alguns pontos.

Foi tudo muito simbólico e interessante (assim como foi em alguns momentos, preciso ser honesta, com o monge queixudo), mas continuei roendo o peito com o cérebro (unhas e dentes são para iniciantes).

Me falaram então do "papa da acupuntura para ansiedade". Um tiozinho metido a galã, que me atendia ouvindo *Soundtrack Music from Woody Allen's Movies*. Ele contava como sua casa na Granja Viana era enorme, como ele ficara impressionado com a China, que era enorme, e dizia que a minha sensibilidade era uma coisa enorme e bonita. Eu tinha certeza, mesmo não tendo formação em psicanálise, que ele estava tentando me falar do tamanho do seu pau.

Demorei três sessões para entender que não se cura ansiedade espetando virilhas. Quando ele me disse que, "se eu tirasse o sutiã, facilitava o seu trabalho", comecei a achar estranho, mas fiquei com medo de que se tratasse de meu eterno pé-atrás com as pessoas. Minha última sessão foi quando esse homem, depois de encher meu corpo inteiro com agulhas, dos pés até a testa, resolveu massagear minha nuca e falar "ommm" rouco e baixinho na minha orelha. Eu disse que estava atrasada para uma reunião, que era para ele tirar aquele monte de agulhas de mim, e ele respondeu, encenando a timidez de um garoto trinta anos mais novo, que tinha pensando muito em mim no sábado anterior: "o que será que aquela menina magrinha tá fazendo?".

Me falaram de um curso cujo nome era Dançando com as Árvores. Um encontro de gente deprimida e ansiosa numa casa em Atibaia. Devíamos ir com roupas bem confortáveis, e o tratamento consistia em nove passos: 1) mentalizar a coisa; 2) abraçar a coisa; 3) abraçar o coleguinha e a coisa dele; 4) dançar para a coisa; 5) dançar para a coisa do coleguinha; 6) nos transformar no animal que estivéssemos a fim; 7) deixar o animal ser selvagem pelo meio do mato; 8) gritar e nos chacoalhar para nos livrar da coisa; 9) ficar deitados, também no meio do mato, pensando sobre tudo isso.

Parei de frequentar o curso por cinco motivos: 1) as pessoas fediam; 2) as pessoas eram completamente deprimidas e ansiosas; 3) eu não fedia nem era tão deprimida e ansiosa; 4) fazer parte de uma espécie de seita é coisa para esquisito sem amigo; 5) onde eu estava com a cabeça?

Me falaram de um troço chamado Fisioterapia GDS Aplicada na Dança Indígena. Depois de me masturbar quatro vezes em menos de dois dias pensando no professor (um negro de olhos verdes cuja mão era exatamente do tamanho da minha articulação coxofemoral — sei porque ele sempre tocava nela), parei de ir. Fui correr no Ibirapuera, naquelas equipes de corrida do Ibirapuera, mas tenho horror a playboy e a publicitário e horror bem específico a playboy publicitário, então desencanei. Tentei kickboxing, mas chutaram meu rim e disseram: "vai mijar e, se não sair sangue, volta pra mais, patricete", e não terminei a primeira aula.

Me falaram de um "psiquiatra espírita", famoso na região da Vila Mariana. O cara é da USP e tudo mais. Depois de eu narrar por uma hora manias, crises de pânico, fobias e angústias extremas, ele chamou a equipe de "passistas" (sim, também pensei que entrariam sambistas extremamente gostosas, mas era a galera que dava passe) e deu o diagnóstico: fui estuprada na outra encarnação.

Estou há três meses tomando gotas de ouro, gotas de *Avena sativa*, gotas de *Passiflora alata*, gotas de *Valeriana radix*, gotas de *Curcuma xantho*. Ainda não senti nada. Tentei maconha na época da faculdade, mas não senti nada. Tentei maconha de novo, só que mais, e eu já mais velha, e não senti nada. Tentei de novo, muito mais, e não senti nada. Quem estava comigo disse que fiquei paranoica demais por não sentir nada, então vai ver senti alguma coisa. Mas, como era paranoia, nunca mais tentei. Nunca tive coragem de tomar nenhuma outra droga, porque tenho muito medo de drogas "sem um laboratório com SAC pra poder reclamar". (Sim, aqui estou me repetindo.) Se a Bayer produzir heroína, me chamem. Se a injeção da endoscopia começar a ser vendida no Pão de Açúcar, também estou dentro. Se a Onofre entregar ayahuasca, me avisem.

Segundo todas as cartomantes e tarólogas e astrólogas que consultei: com o tempo essa ansiedade passa. Sim, todo mundo morre um dia.

Antes de ir

Meu voo sai daqui a duas horas, mas eu não consigo parar de regar as plantas. A terra já escorre pelo vaso, uma cachoeirinha de terra. Vejo uma das raízes boiar. Em algum lugar da mente sei que esse exagero vai matar as plantas, mas estou possuída por uma ideia de secura sem fim. Dentro do meu nariz está seco, na minha garganta tem um pigarro nervoso seco, está muito seco nas calçadas e nos muros lá fora, o mundo pode ser seco de rasgar a pele.

Penso que minha analista mandou que eu cortasse meus pensamentos. Eles são intrusivos, eles puxam mais e mais e mais, sem parar. Eles não falam a verdade. "A mente *mente*." Desculpa, mas foi o que ela disse. "Não tente entender e apenas corte." Mas isso não seria terapia cognitiva? Eu faço Lacan e não consigo não dar colinho para tudo o que vem. Lacan é para os corajosos, não? "Também não pense sobre não pensar", ela diz.

Confiro a nécessaire pela milésima vez e penso: "passar mal é o descanso da compulsão". Se quiser realmente levar a mala pequena, terei que abrir mão do par de botas maiores. E penso: "estou enjaulada num corpo sem comando". Esta pulseira e não essa. E penso: "a ansiedade é como se existir fosse uma crise de abstinência de algo que não existe". Mais um par de meias, e penso: "se minha barriga estivesse passando mal por causa de alguma comida, seria mais fácil, mas minha barriga está passando mal pela condição muito estranha de ser uma barriga. E isso não dá para expelir".

O creme para manchas de sol, e penso: "meu corpo são mil peças doendo porque brigam pelo ínfimo oxigênio que fugiu. Somos o monstro e a criança apavorados e excitados um pelo outro". Um bilhete para a Maria não esquecer de regar as plantas, e penso: "alguém, pelo amor de Deus, pegue na minha mão, ninguém, pelo amor de Deus, encoste em mim". Rasgo o bilhete e penso: "passa já, já, mas como dura pra sempre!". Trinta anos antes de mim e trinta anos depois de mim estão deitados ao meu lado. Falando como se estivessem cheirados e num alto-falante. O laptop vai na mala de mão ou na mala maior que tentarei fazer "ser de mão também" para não ficar esperando mala? E penso: "quero pedir perdão porque, neste momento, qualquer micromaldade que eu tenha feito me enoja como se eu fosse uma assassina de bebês órfãos sem um braço. Passar mal é fazer faxina pesada no caráter". Este livro e não esse. Essa blusa de frio fora da mala, esta dentro. E penso: "me tirem daqui, mas não toquem em mim. Não me perguntem nada, não se assustem, não imitem, não me lembrem sobre humanos socializando quando sou um animal que, ao procurar terra para enterrar sujeira, encontrou um osso". Um saquinho para roupa suja, e penso: "é ter uma roda-gigante cheia de crianças no estômago e um cemitério cheio de cachorros fantasmas famintos na testa. E odiar todos e amar todos e desses opostos todos vamos caindo, caindo, caindo".

Além da analista lacaniana, vou a um psiquiatra junguiano. Em setenta por cento da sessão ele fala dele, da mulher dele, dos filhos dele, dos amigos dele, das viagens dele, da asma dele, da ansiedade dele, da loucura dele, do desejo louco que ele tem de pular a cerca. Tenho um acordo com ele: pago apenas trinta por cento do valor da consulta, porque é o tempo que ele me deixa falar. E, mesmo nesses míseros trinta por cento que me restam, ele dá um jeito de ser o assunto. Se eu disser: "daí tive vontade de morrer", ele sempre responde com: "sei, já tive também". Se eu disser: "daí eu fiquei esperando a ligação do cara e...", ele logo completa: "sei, é terrível, ontem eu estava esperando uma ligação e...". Nas sessões em que só ele fala, eu simplesmente não pago, e encho a bolsa com as balas de chocolate que ficam na recepção. E por que ainda não desisti desse médico? Porque ele uma vez me disse: "se você passar mal em Lisboa, me chama que eu vou até lá". É claro que ele não iria, mas isso me lembrou meu pai, quando eu era bem pequena, dizendo que não era para eu ter medo da escola porque, se eu o chamasse, ele chegaria em poucos minutos. Não consigo largar nem minha mãe nem meu pai nem minha analista nem meu psiquiatra.

Mando a seguinte mensagem para ele: "medo de que me façam mal agora que não estou no controle do meu corpo, que me olhem, que me julguem, que eu não controle meu corpo". Ele não responde. Mando outra mensagem: "minha pele é minha casa, mas como fazer quando estou em carne viva? Estou sem pele, meus órgãos são equilibrados pelo ar da casa e por isso a atmosfera precisa ser uma que conheço e penso controlar". Ele responde que vai dar tudo certo e me recorda que "pode até 6 mg de Rivotril por dia". Eu nunca tomei mais que 2 mg num único dia e, nesse único dia que cheguei a tomar 2 mg (estava morta de vergonha porque faria uma apresentação "sobre literatura" numa universidade em Porto Alegre e ainda tinha o lance do avião, então fui tomando sublinguais a cada três horas e, quando me vi de frente para os estudantes, gritei: "eu odeio educação física!" e fui aplaudida de pé — depois disso dormi por catorze horas), tive a nítida sensação de que meus pés não encostavam no chão, que meu coração não batia, que o mundo inteiro era uma foto distante, que eu jamais sentiria novamente empatia por nada e que poderia dormir e sonhar com bolinhas de sabão enquanto era sequestrada e presa no porta-malas de um fusca. Jamais vou entender como alguém consegue tomar mais que isso e se considerar (de fato) vivo.

Espera. Acho que, para ir a Londres há uns três anos, eu cheguei a tomar 2,5 mg de Rivotril num único dia. Tinha acabado de levar o maior pé na bunda do mundo e minha situação era a seguinte: distante da amiga milionária que estava na primeira classe, colada num casal em lua de mel que não parava de se fotografar e pedir champanhe, e ao lado do banheiro fedorento em cuja porta havia uma eterna fila de pessoas que insistiam em encostar seus lordos cansados na minha orelha. Nesse dia eu estava tão intensamente apavorada e fiquei tão absolutamente drogada (porque misturei muitos miligramas de tarja-preta com Dramin), que acabei paquerando um loiro bonitinho que acabou me convidando para "jantar" na executiva e eu acabei me atracando loucamente com ele depois do vinho, e só no dia seguinte, quando ele me adicionou no Facebook, fui saber que se tratava do filho DJ do Sarkozy, ex-presidente da França. Sim, eu peguei fortemente o Pierre Sarkozy. O mais engraçado é que, dopada como estava, não percebi ter sido escoltada por seguranças enquanto tentava arrancar a mão dele de dentro da minha calça.

Arrumo tudo e deixo pronto para acalmar o martelo que esmurra meu cérebro, me achatando, eu lutando contra o desabamento do céu, de malas prontas, limpa, minuciosa, álcool gel, arrumada, água, pronta, fazendo listas e contas o tempo todo. E penso: "as pessoas estão nas festas, bebem, estão nas praias, cor de laranja, douradas. Eu estou branca, deitada no chão do lavabo, esperando que o gelado dos ladrilhos sejam asas". Lembro da minha mãe falando: "se dói a cabeça, é sinal de que você tem cabeça". E penso: "e se dói tudo?".

Tomo 0,25 mg e penso: "vou tomar mais meio". Tomo mais meio e penso: "mais 0,25 mg". Quantos já tomei? E penso: "mais um".

Da porta de casa até a porta do táxi. Lenta, bem lenta. O raciocínio diz assim: "as... cha...ves". A mala de mão pesa, mas não machuca. As rodinhas da outra mala fazem trururu, trururu. Viver agora é um embalinho de barco ou de berço. O monstro feito de todas as gosmas e sujeiras que mora embaixo do meu tapete nem chegou a botar o segundo braço para fora, e eu já joguei inseticida de clonazepam nele.

Ser humano é algo postergado, um anjinho bêbado que canta "só depois". Agora embalinho de barco. As rodinhas, trururu, trururu. A dor está distante, num planeta que guarda a dor para mim. Para depois. Atrás dos joelhos aquele gostosinho da fraqueza sem julgamento. Na nuca, o quente de algum colo que jamais vai acabar.

Já não sinto medo de algum moço ruim não me deixar entrar no avião com minha droga. Eu o abraçaria e cantaria: "*just put me in a wheelchair, get me on a plane/ Hurry, hurry, hurry before I go insane...*". Não, não é essa. É o anjo que canta "Candy Says". Mas que anjo? Ou o Bob falando: "*cause every little thing is gonna be all right*". Rivotril vai deixar seu cérebro musical pacas. A caixinha de música, lenta e constante. Em vez da máquina macabra de datilografar desgraças cravada no peito. Em vez do vagão-trem do horror passeando por baixo do esgoto e me dizendo que não tem ar, não tem ar, não cheira bem, é o fim, é ruim demais.

Detrás dos meus cabelos rebeldes e dos meus enormes óculos de pessoa rica existe uma caipira assada. Mas de ter medo do quê? Não sei, cara. Juro. Se realmente precisasse te responder, diria: "de ir". Eu tenho medo de ir. Não acordo para o Nutry de banana nem para o suco de laranja com gelo de água de sabe-se-lá-a-procedência. Tenho medo do gelo do avião. Tenho fobia daquele bafo encarcerado que forma crostas no ar. Dentro do avião fede. Se alguém espirrar, vai para onde? Não gosto de aeroporto nem de avião, e odeio particularmente os saquinhos de vômito. (Sim, aqui estou me repetindo.) Tenho medo do som da privada. O limbo supersônico. Nossas excreções explodidas no universo. Antes do aviso para desligar celulares, meu namorado me liga e eu choro, choro, como eu choro. Não quero ir, não quero morrer, não quero as japinhas bebês sendo testadas por homens com roupa de apicultor para ver se viraram armas nucleares, não quero que nenhum mal aconteça aos curdos, não quero a patinha quebrada da labradora da vizinha, o mendigão que dorme na porta do meu prédio me cuspiu um dia e eu não lhe dei o cobertor que ia dar, mas eu não quero mais ficar brigada com ele. Silêncio, e segundos depois meu namorado, entre o susto e a vontade de rir, me diz: "mas você só está indo a uma reunião no Rio de Janeiro!". Sim, sim, não se explica. Não sei explicar o que é isso que dispara em mim quando faço malas e vou. Como é que fica o mundo quando atravesso minha bolha?

Sofrer é de uma arrogância egocêntrica sem limites. Tenho medo de dobrar a esquina de casa. Tenho medo de fazer aniversário. Tenho medo de ser mulher porque mulher é toda aberta a fungos e promessas. Tenho medo de estarem rindo do quanto eu sou feliz quando alguém me abraça e eu me largo um pouco. Minha cabeça pesa quilos demais para o meu pescoço. Alguém, por favor, só me segura um pouquinho? Tenho medo de acordar. Tenho medo quando acaba a bateria do iphone porque mexer nele me distrai de pensar como tudo é bem maluco. Estou quase dormindo, quase. Sinto uma tristeza profunda de ir. Ir é muito triste. E estou sempre indo, apesar das unhas desesperadas eternamente esfolando algum conforto que deixou saudade apesar de nunca ter existido. Mas o Rivotril vai comigo e daqui a pouco me traz de volta.

Tenho trinta e seis anos, sou uma mulher, o cara ao lado quer me comer, a reunião é sobre um lance bem maduro. Bem de mulher bacana e fodona que ganha dinheiro e manda em algumas criaturas. Eu não sou essa mulher que eu sou. A minha pessoa física não consegue bancar a minha pessoa jurídica. Eu sou a criança que sustento e de quem cuido. Eu sou, mas às vezes não. É foda manter o tempo todo isso aí que sou. É um drama, uma novela, apenas uma reunião no Rio, em quarenta e dois minutos estarei lá. Depois estarei aqui. Depois mil anos e todos nós mortos e os depois de nós mortos. Depois mais amores que me racham inteira e eu catando minhas bolinhas de gude pelos ralos de todas as cidades. Tenho medo de não ser mãe. Tenho medo de não ter fome. Tenho medo de comer muito e passar mal. Tenho medo de não dormir. Ou tudo isso demais. Mais um Rivotril. O restinho dos ratos que gritam some. O restinho das pombas macabras some. O restinho dos corvos some. Todos para longe. Lá vai a mulher que assusta.

Faltam três passageiros atrasados. "Ainda dá tempo", penso, sentada já com o cinto e já com uma bala de chocolate que a aeromoça me deu sorrindo. "Ainda dá tempo", penso. Voltar. Mas voltar para onde? Para casa? Para a minha cama? Para debaixo da minha cama? Para o ar, para o solo, para o útero, para o céu? Não é de avião que eu tenho medo. É de ir. Avião representa ir. Ainda que seja apenas uma reunião de trabalho no Rio. Volto hoje mesmo, mais tarde. E no avião da volta, nunca, jamais tive crise de pânico. Só indo. Eu só tenho medo de ir para longe. Longe do quê? De quem? Não aguento muito tempo dentro de casa, não aguento muito tempo na cama, não consigo mais visitar nenhum familiar por mais de uma hora, não suporto mais nenhuma visita por mais de uma hora, os melhores amigos, por mais íntimos que sejam, expulso depois de um tempo. Nem gosto muito da minha rua. Então de onde vem a idealização de que preciso desses lugares mais que tudo e sempre e o tempo todo? De que todo o dia é uma eterna necessidade de voltar para esse lugar de onde me expulso porque também não o aguento? O pânico é a necessidade urgente de uma cama que não existe. Não é a nossa cama do passado nem a do presente nem a do futuro. É a constatação de não existir esse lugar para deitar e deixar a pressão normal abraçar os órgãos. Esse lugar que te embalava na infância não existe, nunca existiu. Esse lugar, para onde se vai a cada dia que se envelhece, não existe. Não fisicamente, digo. Quando volto ao batimento cardíaco possível e estou calma e digo: "obrigada e até mais tarde" como uma pessoa normal e me sinto uma adulta possível num mundo possível... essa é a cama. Mas na hora da crise a cama pega fogo. E eu sempre me pergunto: "e se nunca mais ela voltar? E se eu nunca mais puder viver distraída? E se para sempre eu sentir esse elefante cego em posição fetal na minha jugular? E se nunca mais puder comprar uma revista assoviando e tomando um sorvete de doce de leite sem estar ultravigilante sobre cada milímetro do meu corpo? E se para sempre eu sentir as cócegas do sangue percorrendo o corpo todo sem achar graça nisso? E se não puder simplesmente viver como se fosse normal? É normal? Era normal até meia hora atrás?". Preciso respirar, mas esse ar de fora é gelado, cortante e poluído.

Meu psiquiatra me disse que não sou fraca, sou humana, mas, poxa, às vezes é bem fraco ser humano. Preciso gostar dessa parte, preciso gostar dessa parte. Tirar meu salto alto fincado no meu próprio peito. Agora sinto o efeito de todos os sublinguais que tomei. Quantos foram hoje? O céu está bem limpo.

Pânico na firma

Ao longo dos oito anos em que trabalho na Rede Globo, colecionei muitas situações e lugares bizarros para passar mal. Lembro de quando, completamente chapada de tarja-preta na casa do Ricardo Waddington, fiquei insistindo para a Fernanda Lima jogar pingue-pongue comigo. Era a pré-estreia do programa *Amor & Sexo*, em cuja criação eu havia colaborado, e o Ricardo, um dos diretores de núcleo mais poderosos da emissora, deu uma festinha. Nem sequer nos dias mais fóbicos com "sair de São Paulo" eu arreguei quando se tratava de questões profissionais. Já quando se tratava de festas, sempre me debati: preciso mesmo passar pela tortura infinita de ficar ansiosa e fóbica e com manias e enjoada e com diarreia e chorar e achar que vou morrer e começar a arrumar gavetas e regar plantas e fazer listas e mais listas e mais listas com tudo o que eu deveria realizar nos próximos cinco anos da minha vida, apenas para um bate-volta numa festinha?

Mas muitos amigos cariocas, contratados da Globo, sempre me responderam que sim. Para crescer na empresa, tão (ou mais) importante quanto escrever bem é ser lembrado pela galera que vai julgar se você escreve bem ou não. E, para ser lembrado, é preciso estar presente. E estar presente, no Rio, é ir às festas.

Bem, como eu dizia, tive que me dopar muito naquele dia e terminei a noite perturbando a Fernanda Lima, encoxando a Flávia Alessandra numa rodinha de funk (detalhe: só eu dançava. A rodinha conversava. Eu que achei que era uma rodinha de funk. De fato, o som que tocava era funk, mas eu fui a única a valorizar fisicamente esse fato) e me atracando semissexualmente com um dos roteiristas no jardim.

Quando me chamaram para colaborar numa novela, sentei no sofá de casa e tive uma conversa séria "comigo mesma". Escrever novelas era meu sonho. A Lícia Manzo, autora de *A Vida da Gente*, é que tinha me ligado, fazendo o convite e deixando bem claro: "mas eu preciso que você venha bastante para o Rio, tudo bem?". Tudo ótimo. Sim, na época eu era uma mulher com quase trinta anos. Não dava mais para ficar passando mal toda vez que me distanciasse do meu CEP. E estava prestes a realizar um desejo muito antigo e muito idealizado. Então tentei resolver, em cinco minutos, num auto-tête-à-tête, o que a terapia não havia conseguido em mais de dez anos. Decidi que *nunca mais* passaria mal nem tomaria remédios. Decidi, com muita frieza e seriedade e maturidade e força de vontade, que precisava estar inteira e esperta e ágil nas reuniões. Não posso chegar lá chapada. E sou muito adulta e muito capaz e batalhei muito para chegar até aqui. E eu precisava desesperadamente melhorar meu salário e dar esse salto na carreira.

Não tomei nenhum remédio e fui para a casa da Lícia, no Jardim Botânico. A equipe era formada por algumas pessoas com mais de sessenta anos, várias com mais de cinquenta e umas poucas com mais de quarenta. Estavam todos os gelos ainda intactos quando eu cheguei, mais jovem do que queria parecer. Todos ainda sentados retinhos, medindo cada letra das palavras que diziam e rindo contidamente. O máximo de ousadia permitido ali eram piadinhas puxa-sacos marotas como "mas essa sua vista aqui só podia ser de uma casa de autor de novelas mesmo!".

Se tem uma coisa que minha angústia não suporta é esse tipo de situação em que não posso ficar à vontade. A não ser que me escape, eu jamais vou arrotar na casa de ninguém, mas, só de saber que não devo arrotar, começa a me dar uma vontade louca de arrotar, entende? O ar se acumula na minha jugular em forma de pequenas ondas interrompidas e sobrepostas. Acho mesmo que a espuma que fica no cantinho da minha boca vem dessas ondinhas de mar entaladas em mim.

Preciso logo conquistar o coração de todos, preciso logo saber que meu arroto seria aceito ali. Justamente para que eu nunca arrote, preciso saber que seria perdoada caso arrotasse. Entende?

Como disse, não tinha tomado remédio nenhum e estava naquela de sorrir, retinha. E de elogiar a vista, retinha. E de não saber nada pessoal sobre aquelas pessoas e de não poder dizer nada pessoal para aquelas pessoas. Retinha. E iríamos almoçar daquele jeito? Tão retinhos e impessoais e elogiando a vista? Começou a taquicardia com bola de pelo na garganta e dor de barriga, e eu não suportei.

Não fazia nem vinte minutos que havia chegado, dei início ao meu festival de horror. Contei que tinha um sério problema com "homens com um terceiro mamilo", pois já havia namorado dois caras com essa anomalia (o que é verdade). Disse logo com quais personagens da novela eu tinha me identificado, deixando claro que os demais "não me interessavam tanto". Li, sem pedir licença, um manifesto feminista que havia escrito no avião para me acalmar durante uma crise de pânico. Fuxiquei cômodos para os quais não fora convidada, apenas porque me deu uma vontade louca de fazer isso. Me acharam "uma figura" e acabou dando tudo certo. Quer dizer, mais ou menos tudo certo. Quando a novela terminou, nunca mais aquelas pessoas me chamaram para trabalhar com elas.

A segunda novela em que colaborei foi uma da Maria Adelaide Amaral. As reuniões eram em São Paulo e eu estava empolgadíssima. Poderia trabalhar em paz, sem ser assombrada pela expectativa terrível de ter que sair de casa a qualquer momento. Quer dizer…

Meu primeiro encontro com a equipe da novela seria na festa de setenta anos da Maria Adelaide, na casa que ela mantém na serra da Cantareira.

Acabei dando carona para uma convidada ranzinza e mal-educada. A velhota foi de Higienópolis (fui buscá-la em casa) até a Cantareira explicando que não gostava das pessoas que moravam fora de Higienópolis porque eram pobres. Que não gostava dos chineses que moravam no prédio dela porque eram porcos. Que não gostava do meu carro porque era "coreano" e ela odiava os asiáticos. Perguntou se eu estava solteira, respondi que sim, e ela disse que as moças de hoje eram péssimas e não sabiam cozinhar. Ela falava tanto e tanta sandice que eu me perdi, e ainda tive que aturá-la "muito ofendida em pegar carona com alguém que não sabia o caminho". Um detalhe curioso: a senhora intragável (hoje eu acho bem engraçada essa história) é uma psicanalista respeitável e tem uma coluna num jornal paulista sobre: bem-estar. Vai vendo.

Claro que eu comecei a passar muito mal já no carro e cheguei totalmente transtornada à festa. Uma espécie de hostess recebia os convidados e guardava as flores e pacotes. Eu quis mandar uma piadota espirituosa para ficar logo "amiga de todo mundo" e disse bem alto: "aaah, não, gastei dinheiro demais no presente pra ele ficar no meio dos outros, trate de abrir agora e de gostar, dona Adelaide!". Ninguém riu, e a aniversariante não abriu meu presente.

Na ânsia de logo "pertencer" àquele novo grupo de colegas e não ter que passar por tudo aquilo de sorrir retinha e fazer elogios retinha e falar coisas sem graça e sem profundidade retinha e ser uma estranha almoçando com estranhos retinha, já fui contando que tinha acabado de levar um pé na bunda de um diretor conhecido de teatro e expus tudo sobre ele e sobre a traição dele e sobre o pai dele que estava morrendo e sobre como ele usou a morte do pai para se fazer de coitado e me trair ainda mais. Imitei o jeito dele de falar e andar e mostrei como havia reagido ao descobrir as traições. As pessoas riam, elas sempre riem. Claro, numa festa em que a maioria apenas empina o peito e aceita mais vinho e comenta a umidade do ar na Cantareira, uma louca se rasgando em praça pública causa o interesse, no mínimo, de um show contratado.

Uma hora meu espírito saiu do corpo, se deitou com uma taça de vinho num dos muitos sofás finos da sala, e ficou "me observando" tagarelar diante de pessoas chocadas com tudo o que já sabiam sobre aquela garota que tinham acabado de conhecer.

Quando cheguei em casa, chorei por duas horas. Sempre, depois de me consumir assim, choro em posição fetal na cama, completamente exaurida de mim mesma. É como se eu me servisse nua, numa bandeja, o tempo todo, somente porque não mereço estar em nenhum lugar legal a não ser que me sacrifique para entreter os outros. Ou sirvo de palhaça da corte ou não mereço pertencer a nada. Isso é bem cansativo. Minha ansiedade nunca me deixou apenas ficar em silêncio, sorrindo, sacando antes o lugar e as pessoas. Ou eu chego como um trem descarrilado conduzido por um diabo-da-tasmânia ou me mato de tédio (e fantasio que todos estão mortos de tédio e o mínimo que esperam de mim é que eu vire o jogo dessa vida besta). Uma espécie de humildade bem arrogante, como já disse outras vezes aqui.

Logo que fui contratada pela Globo (e antes de todas essas histórias acontecerem), inventaram uma especialização em seriados de humor no Projac; as aulas seriam toda terça às nove da manhã.

Achando que eu tinha alguma moral ali, pedi uma passagem para segunda à noite e um quarto num hotel na Barra para que eu pudesse, estando próxima ao local, descansar antes do curso. Hoje eu certamente conseguiria esse mimo, mas na época, ainda vista como uma jovem aposta para a emissora, queriam me ver dar o sangue. Se eu quisesse, e era bom eu querer para crescer lá dentro, era bate-volta no mesmo dia.

Para estar às nove no Projac, eu tinha que acordar às quatro, correr para tomar o avião às seis, me conformar com o atraso de mais de uma hora do voo, não ir fazer xixi durante a viagem para não perder o lugar, de tão lotado que estava o avião, desembarcar no Rio às oito, pegar o maior trânsito da história até o Projac, aturar o taxista cogitando "ir pelo caminho pior, mas pelo menos tem vista", descer em Jacarepaguá uns vinte minutos depois do horário marcado, encarar a cara feia dos cariocas que não entendiam como alguém recém-contratado tinha a cara de pau de não chegar na hora e, finalmente, dar uma passadinha no ambulatório. Toda terça-feira, ao longo dos quatro meses de curso, eu tive crises de pânico.

O que parecia fácil, "apenas uma vez por semana", virou a pior coisa que já me acontecera. Porque não se tratava só do imenso estresse de ir até lá. Eu ainda tinha pela frente um dia inteiro em que tentaria dizer coisas incríveis e geniais e engraçadas que me levariam por fim a ser chamada para colaborar em algum programa de humor.

Claro que uma porcentagem de brasileiros infinitamente maior do que a minha gigantesca frescura passa por provações piores todos os dias. Acorda antes das quatro da manhã, pega várias conduções, muitas vezes em condições precárias e insuportavelmente lotadas, para estar no serviço na hora certa. E ainda ganha bem menos do que eu ganhava então (que era suficiente para não morrer de inanição, apenas).

Mas vamos lembrar aqui que eu tenho pavor de avião, vamos lembrar aqui que o avião às seis da manhã vai cheio nível "acho que me engravidaram no metrô às cinco da tarde quando abaixei para pegar minha bolsa que tinha caído" e que eu trato claustrofobia há anos na terapia. Vamos lembrar que eu tinha que ir, toda semana, para outra cidade, e que não tinha direito, ainda, a um quarto de hotel. Então, mais tarde eu voltava para São Paulo, passando por tudo outra vez, sem descansar nem um pouco. Viajar de avião duas vezes no mesmo dia, quando se tem medo de avião, equivale a enfiar de novo a mão na tomada depois do choque.

Vamos lembrar que eu não sinto fome antes das dez da manhã mas precisava me alimentar para não ter um ataque de hipoglicemia e pressão baixa e labirintite e gastrite. Então eu me forçava a comer e ficava com enjoo, só que um enjoo melhor do que o enjoo da hipoglicemia e da pressão baixa. Vamos lembrar que para mim, que tenho dificuldade de sair de casa, sair de casa às quatro da matina para enfrentar (numa cidade mais quente, mais caótica, mais "a gente adora imitar sotaque paulista quando quer reforçar a personalidade de um completo idiota", mais "a gente parte do princípio de que você é uma branquela flácida, um bullying ambulante, até que se prove o contrário"), por oito horas, uma mesa lotada de roteiristas e diretores importantes, que estavam ali para avaliar, com ares de "pede pra sair", se eu tinha alguma graça, era puxado.

Mas passei no teste, e me botaram para escrever meu primeiro seriado de humor. Um seriado sobre "dicas amorosas" protagonizado pelo Luís Fernando Guimarães. Agora eu teria acesso a muito mais "glamour", recebi um aumento de trezentos reais e as chaves de um flat úmido na Barra. Teria um mês naquele muquifo, tempo suficiente para que eu procurasse e encontrasse um apê para alugar. Teria que morar no Rio durante mais ou menos um ano, ganhando mensalmente mil reais e uns quebrados que, com os descontos, não passavam de novecentos reais. E depois daquele mês de ajuda teria que me virar para continuar a morar no Rio, onde o aluguel de um barraco em favela está pela hora da morte.

O seriado não foi exatamente um sucesso, e um ano virou sete meses. Tempo suficiente para que eu gastasse as economias resultantes de trabalho de oito anos em agências de publicidade em São Paulo. Hoje tenho vários amigos cariocas incríveis (e, ao menos até a data em que escrevo este livro, sou casada com um deles), mas na época não consegui fazer um único contato mais íntimo na cidade.

Eles até jantavam comigo (um troço estranhíssimo: preferiam lugares lotados, onde ficávamos por horas em pé, implorando para comer uma fritura), me chamavam para a praia (um troço estranhíssimo: preferiam o espaço mais apinhado de gente, onde era mais impossível esticar as pernas ou ver o mar), mas eu queria alguém para olhar no fundo dos olhos e dizer: "cara, ando tendo umas crises de pânico terríveis e talvez pesar quarenta e quatro quilos para um metro e sessenta e dois de altura, aos vinte e oito anos, não seja muito saudável". Mas nenhum colega solar queria ouvir falar sobre isso. A ditadura da alegria me esnobava e trollava o tempo todo. Davam conselhos como "banho de mar cura tudo" e me mandavam arrumar um carioca que me comesse. Hoje em dia tenho conversas muito profundas e dolorosas com amigos cariocas muito profundos e dolorosos... mas descobri que eles moram em São Paulo (ou ao menos vêm sempre para cá).

Quando já estava na Globo havia mais de dois anos, e depois de ter feito muita coisa que não estava a fim (tipo site de *Malhação*) para poder exigir (pedir com todo o amor, na verdade) que me colocassem em projetos mais a ver comigo, consegui colaborar num seriado divertido, inspirado nuns quadrinhos famosos, dentro de um núcleo conhecido como "um dos melhores para se trabalhar".

Cheguei toda malaca, crente que a parte mais difícil daquele processo já tinha passado, que eu não era mais a "paulistana caipira nasalada que a gente ia mandar ficar quieta nas reuniões apenas falando alto o bastante (em nossos chiados com vogais tão livres e felizes e com vida própria) para que ela se inibisse por quatro décadas". Mas dei a falta de sorte de duplar com um camarada que na segunda reunião já mandou a real sobre trabalhar com uma (1) mulher, (2) inexperiente, (3) que achava que humor era mais Woody Allen e menos *Se beber, não case*: "não tô a fim!".

Humor para esse meu parceiro era um carro que pegava fogo depois de capotar num viaduto depois de fugir de um assalto depois de uma traição com direito a "favelada desbocada" que dá a real para o bofe sem noção vagabundo de boteco lhe metendo um tapão na cara. Humor para ele era o famoso quiproquó, tão aclamado pela Globo e pelos distribuidores de cinema nacional. Eu não sabia e não queria aprender a fazer o "tiros e correrias", mas precisava pagar as contas. Então, numa espécie de lavagem cerebral, quando você dá por si, está especialista em "jogos de improviso" com a sua escaleta. Vendo no que a tríade salão de cabeleireiro, dançarina de cabaré endividada e ameaça terrorista pode dar.

O processo era sofrido e eu voltei a pesar quarenta e quatro quilos. Uma vez, ao chegar à redação do programa, no Leblon, senti uma porrada tão intensa na boca do estômago ao ver a frase "odeio essa menina" nos olhos do cara, que fiquei quase uma hora "morrendo por todos os buracos" no banheiro (perdão, mas não dá para falar de crises de pânico sem tocar nesses aspectos, o.k.?), enquanto ouvia as pessoas rindo e dizendo baixinho na sala: "ela não vai aguentar, será que desmaiou lá dentro?".

Saí do banheiro mais branca do que aquelas estátuas que se pintam de branco no centro da cidade e dei a real: "estou infeliz, tendo setenta e oito crises de pânico por dia, adoro o seriado mas odeio não conseguir dar minhas ideias" etc. O chefe da equipe, por quem até hoje tenho um carinho imenso, me botou então para duplar com uma roteirista maravilhosa, que não só me ouvia como me ensinou muitas coisas sobre estrutura. Na semana seguinte, já conseguindo, ainda que tímida e nervosa, expor algumas ideias, senti novamente que ia desmaiar e sucumbir para sempre. Mas pela primeira vez não era por causa da minha ansiedade, era o gás do quarto que estava vazando. Um hotel no Leblon cuja diária custava quase novecentos reais. O Rio, também, não ajuda!

Mais recentemente, me reuni com toda a equipe do filme *Meu passado me condena* para apresentar a continuação da saga cinematográfica que tinha levado mais de três milhões de espectadores para os cinemas. Pois bem, sentei com meu laptop na frente da Mariza Leão, uma das produtoras mais fodonas do país, o Fábio Porchat e mais umas quinze pessoas. Comecei a ler o roteiro e senti meu fígado exposto no centro da mesa. Na verdade, as pessoas estavam devorando, eufóricas e famintas, uma imensa barca de comida japonesa, mas ler um roteiro, ainda tão purinho e tão meu e em seu primeiro tratamento, para mais de quinze pessoas havia transformado meu ventre naquela barca de comida. Eu sentia como se pegassem pedacinhos dos meus rins, pedacinhos dos meus pulmões, enrolados em alga. Eu via meu coração cru ali, sendo ofertado numa barca brega de madeira falsa.

Na página 2 do roteiro, diante de toda aquela gente, eu desmaiei. Caí dura no meio da sala da Mariza Leão. Acordei deitada na cama de um dos filhos dela, com as pernas em cima de duas almofadas. Tremendo de frio. Com duas mantas me cobrindo. Com os roteiristas que trabalhavam comigo tentando aquecer minhas mãos geladas. Eu ouvia as pessoas destruindo o roteiro na sala: "essa cena ainda não tá boa, não", e a Mariza ajeitava minhas cobertas e dizia: "estamos adorando o filme, por favor, fique à vontade, gosto de você como de uma filha". Um dia antes, eu e Mariza ficamos horas no telefone, discutindo grana, porcentagem, prazo. Mas, naquele momento, ela entendeu que eu precisava de uma mãe. O mundo não precisa de mais Rivotril, o mundo precisa de mais frases como essa. Se a gente pudesse, mesmo que de vez em quando, mesmo que por pessoas que discutem dinheiro com a gente, mesmo que de mentirinha, "ser gostada" como filha, pobres das milionárias indústrias farmacêuticas.

Depois a louca sou eu

Um dos principais erros do ansioso é procurar "veneno" em seus parceiros amorosos. Aquela pessoa solar não tem nenhuma graça. Aquela pessoa equilibrada, solidificada, bonançosa, que realmente *acredita* em coisas a ponto de ficar *bem* porque acredita em coisas (tipo "esse livro do Osho *mudou* a minha vida"), é chata. E, sim, concordo com você, meio limitada.

Mas pense bem: você é um trem fantasma descarrilado cujo condutor está de ponta-cabeça. Claro que, se outro trem fantasma descarrilado com condutor de ponta-cabeça cruzar seu caminho, vai ser uma explosão louca de sabores densos e picantes. Você morrerá inúmeras vezes, mas terá valido a pena. E a coisa toda vicia num grau, que periga você levantar feito um joão bobo, lá do trilho mesmo, ensanguentado, e implorar mais. E depois mais um pouco. O sexo entre dois seres atormentados e pré-suicidas é o único sexo possível, o resto é amorzinho para fazer nenê.

Só que para tudo, chega. E é nessa hora do "para tudo, chega" que muitos arrumam o famoso cônjuge "ele faz muito bem pra mim". Aquele que não é o sexo do ano, não é a longa conversa "vamos rir até quatro da manhã de como somos meio infelizes", mas melhora sua ansiedade, melhora seu pânico, diminui a sua vontade de fazer minicortes pelo seu próprio corpo. Em contrapartida, esse cônjuge "play feliz", com frequência uma pessoa besta, sempre pronta para correr no parque ou bem-disposta para dar carona a algum velhinho que mora fora do centro expandido, um "gente boa mode on histericamente em paz" ligado na tomada o dia inteiro para purificar o ar da casa, com frequência esse cara é tão sem-sal, mas tão sem-sal, que a única graça e função dele na vida é "ser o parceiro que acalma o doido". Do doido nós gostamos, já a menina quieta sorridente, o rapaz "peraí que te ajudo enquanto assovio um sambinha", os civis de um modo geral, nós aturamos porque eles limpam caso o doido suje a nossa sala.

Mas essas pessoas, por não terem "a doencinha", a doencinha que dá a liga, o veneno entre dois estragadinhos da cabeça, o ponto de encontro espetacular entre duas mentes atormentadas, a maior explosão sexual de todas, essas pessoas não têm graça. Transar com um cara gente boa é legal. Transar com um maluco é o motivo pelo qual inventaram o sexo. Enfim, tudo isso te levará a fugir das encrencas. Mas em círculos.

Você vai dar tempos, intervalos, respiros, construir moradias com esses seres maravilhosos "que te fazem bem". Mas a quem queremos enganar que isso vai durar? Ou melhor, isso vai durar pra cacete, talvez seja a única coisa que realmente dure na sua vida, mas a quem queremos enganar que você está arrematado e saciado? A quem queremos enganar que as palavras "pleno" e "feliz" não te fazem torcer os olhinhos como descrentes paninhos de chão que nem depois da água sanitária deixaram de ser sujos? A quem você quer enganar que não vai pular a cerca? Não vai encher a cara ou tomar um tarjinha-preta de tão insuportável que está ser felizinho e ter arrumado esse cônjuge-mãe? Felicidade só existe quando é "inha". Porque "feliz pra cacete" dá uma tristeza enorme.

Enfim, se é veneno o que você busca nas relações, sua vida será preenchida, assim como a minha, por doces rapazes alucinados, especialistas em enxergar a própria loucura refletida na consorte do mês. Eles vão terminar com você por mensagem de texto dizendo: "não dá, você é louca", e você vai ficar supertensa, achando que eles têm razão... Daí, quando estiver tomando remédios fortes por mais de um ano, você vai descobrir que a mensagem foi enviada do manicômio onde os fofos estavam internados. Então, repete comigo: "louco é o outro".

Vejamos alguns dos meus casos. Tive um namorado que odiava minhas bolsas. Ele sempre me dizia: "você é bonita e tal, mas falta feminilidade". E daí ele ia comigo comprar bolsas. Eu escolhia uma coisa horrorosa, cheia de franjas e brilhos e pedras, e ele dizia: "é, acho que pode te deixar mais feminina". Um dia ele terminou o namoro dizendo que eu era extremamente macha.

Eu gostava desse namorado, então fiquei péssima e por meses me culpei. Minhas amigas falavam: "suas mãos são pequenas e macias, você usa batom rosinha, passa perfume para ficar sozinha em casa, você é supermocinha, esse cara que é maluco". Mas não tinha jeito. Comecei a achar que o problema estava na minha falta de feminilidade, e cheguei a sonhar, mais de uma vez, que tinha um pênis e que o cortava e jogava para que minha cachorra o trouxesse de volta.

Esse namorado, vamos chamá-lo de Daniel (adoro que esse é exatamente o nome dele e eu estou realmente expondo a criatura, dane-se), dizia que minha dificuldade em usar salto alto estragou nosso romance. Eu sempre preferi sapatilhas fofas e confortáveis. Não era tipo um chinelão da tia Cidinha, era uma sapatilha que tinha lá seus mistérios, tachinhas ou bolinhas, ou deixava levemente à mostra unhas pintadas, vai vendo. Mas ele via em mim um Kichute, não tinha jeito.

Um dia me enchi de pulseiras e brincos e colares pesados (eu andava na rua fazendo tanto barulho que todo mundo olhava achando que era o realejo com o periquito da sorte), meti um salto agulha gigante (que me faria frequentar a fisioterapia por semanas), lancei um batom vermelho na boca, borrifei meio litro de perfume caro no meio dos seios e em outras áreas estratégicas, mandei ver num decotão e fui até a casa dele. Ele riu por um bom tempo (de fato eu estava ridícula, parecendo um requeijão fechado a vácuo, tão colada era a roupa) e me pediu que "tomasse cuidado para não escorregar no piso da casa dele". E ficou olhando para o chão, cheio de amor, querendo que eu "entendesse algo sem que ele precisasse falar". Achei que era algo como "vai, fica de quatro nesse piso, sua gata feminina louca", mas era pior: ele queria que eu notasse como o piso da casa dele brilhava.

Foi quando ele me contou de Larinha, moça rica do interior de Minas a quem acabara de conhecer. Ela estava em São Paulo para estudar "design de sabonetes". Era rica: um ponto. Era caipira: dois pontos. Tinha uma profissão cretina de moças ricas e caipiras que no fundo não sabem fazer uma caralha da vida e fingem fazer algo até que possam enfim exercer a única função que realmente importa para elas que é ser mulher de homem rico para perpetuar a riqueza da família: três pontos. E tinha descoberto um troço que fazia "reviver os tacos de madeira" e tinha, naquela manhã, esfregado a maravilha em toda a casa do Daniel. Ou seja, uma escravinha: cem pontos. Mano, eu podia colocar franjinhas e tachinhas e strass e pedrarias na virilha que aquele cara jamais veria "uma mulher feminina" em mim. Ele me disse que eu era *louca* e que por isso não havia dado certo.

Antes do Daniel, namorei um cara que falava sozinho enquanto dormia. Vamos chamá-lo de André (adoro que esse é mesmo o nome dele). Eram altos papos. Ele contava, entre roncos e relinchos, como organizou a sua estante de livros. Primeiro os clássicos, depois os "vivos que valem a pena", depois os de cinema. Até que um dia ele simplesmente parou de dormir. Não dormiu dois dias, daí viraram cinco dias, daí viraram nove.

Ele usava as madrugadas para ler livros ao mesmo tempo que via filmes ao mesmo tempo que organizava a área de trabalho do computador ao mesmo tempo que falava com sete pessoas pelo inbox do Facebook ao mesmo tempo que baixava músicas ao mesmo tempo que... Numa dessas conheceu uma mulher igual a ele e os dois ficaram várias madrugadas inteiras se falando por todas as infinitas plataformas de internet.

Um dia pedi a ele que voltasse a dormir na casa dele porque estava puxado manter em meu apartamento um homem que não dormia havia dez dias e ficava com todas as luzes acesas, TV e micro-ondas fazendo barulho, e me traía virtualmente. Ele fez as malas, me chamou de "muito ansiosa, precisa aprender a relaxar", e assim acabou.

Anos depois comecei a namorar o Carlos (vamos chamá-lo por seu nome verdadeiro). Ele me dizia diariamente que eu era louca e que teríamos que terminar, mas... 1) gostava de chorar nu na minha varanda logo depois que a gente transava porque percebia que um dia seu pai morreria; 2) me levou a uma galeria de arte e, ao ver a dona do lugar, com quem "tinha uma relação estremecida", saiu correndo e me largou lá por meia hora, e depois me deu um esporro porque não o esperei voltar quando estivesse mais calmo; 3) acordava de madrugada para tentar desemperrar janelas que não estavam emperradas; 4) só colecionava arte de gente que já tinha morrido porque "vivo não sabe o que está fazendo"; 5) sofreu um sequestro-relâmpago com outra mulher e, quando os libertaram, me ligou para que eu fosse buscá-los.

Namorei também o Guto, que "odiava criança, odiava morar

junto, odiava trabalhar, odiava namorar, odiava cinema, odiava show, odiava beijar na boca toda hora" e terminou comigo porque era impossível me agradar. E, por favor, vamos dar ao Gabriel o prêmio "melhor namorado louco que terminou comigo dizendo que a louca era eu". Gabriel não aguentava mais sentir que eu o estava observando, "querendo escrever sobre ele", enquanto ele apenas bebia água ou fazia xixi. Disse que começou a se "autonarrar" vinte e quatro horas por dia porque imaginava que eu passava vinte e quatro horas por dia observando todos os seus movimentos para depois escrever um livro sobre ele. Kikito egocêntrico para ele. Palma de Ouro ególatra para ele. E o pior é que ele tinha razão.

O fotógrafo e o fedido

Talvez eu fale apenas por mim, o que seria delicioso e me daria ares de exclusividade psíquica, mas duvido: infelizmente pertenço a um grupo gigantesco e universalmente parecido chamado "fêmeas". E fêmeas preferem personagens a homens. Homens são "rabisca umas coisas", diretores da firma, desempregados. Personagens são "o artista incompreendido", "*aquele* diretor fodão" e "ele está escrevendo um livro há mais de dez anos". Eu transo com a parte do meu cérebro que desce até as partes do meu corpo que transam, e nunca com homem nenhum.

O problema é que o fotógrafo do momento não estava num bom dia. Ele se recuperava de um "final de dengue" e de um "fim de relacionamento que já tinha acabado mas fim é sempre ruim". E me avisou, talvez motivado pela minha sinceridade seca e um tanto cruel: "talvez eu broche". Eu estava numa fase "pilates quatro vezes por semana" e fazendo muito bonito enquanto nua e não fiquei nem um pouco achando que o problema estava em mim. Talvez, claro, se eu tivesse feito a dança do "pavão dadeiro porém sutil vem me conquistar mas vou fazer de conta que não quero", ele tivesse conseguido. Mas francamente? Não estava com saco para o teatrinho do encaixe carnal. Até ia ficar ali imersa dois dias numa química cravejada de falsos diamantes chamada "algum sentimento", mas encantamento é um brigadeirinho enviado por Deus junto com um café frio.

E eu tinha decidido que naquela semana faria sexo. Queria transar para o bate-estaca da minha cabeça parar. Sempre achei que morder o osso da bacia de um homem bravo me dava motivo para mais uma semana sem nenhum remédio. Porque pensar demais era como roer tanto a unha que uma hora já se estaria roendo o cotovelo, mas não se podia mais parar porque a unha ainda estava intacta. Coisa que o remédio que eu guardava no baleiro na entrada de casa ou na caixinha de joias ao lado da cama resolveria. Mas, se essa lama toda me deixa mais tarada, por que não aproveitar a única coisa boa dessa lama toda?

O fotógrafo do momento tentou muito. Disse que também estava tomando remédios, por conta de "umas vontades estranhas de morrer". Que era "coisa pesada" e um deles se chamava Tegretol. O outro, Leponex. Tegretol me lembrou um tigre em formol. Aquele homem já devia ter sido um guepardo na cama (a gente sabe que um homem trepa bem pelo cheiro da barba dele, está tudo ali), mas agora, tadinho, foi colocado num vidrinho de laboratório de quarta série para as criancinhas o observarem como a um natimorto.

Depois descobri, porque perguntei ao meu psiquiatra, que Leponex é remédio para esquizofrênico. Talvez a gente nunca tenha ido àquela festa, talvez a gente nunca tenha se conhecido. Em algum lugar sempre está tudo bem.

Mas, porque estava sem sexo havia muitos meses e porque tinha parado o Escitalopram semanas antes e porque precisava dar fim ao bate-estaca da minha cabeça, eu decidi que faria sexo naquela festa. E então pirei num garoto muito alto, muito hipster e muito soberbo. Achei também que ele pudesse me abater e o escolhi. Ele estava um pouco fedido, mas tratava-se de um fedor "brava testosterona de um dia inteiro na rua e já são quatro da manhã", e não exatamente de um cheiro ruim.

O mundo segue andando, suando, escarrando. Enquanto eu me resguardo numa maldade higiênica até que. Enquanto eu me resguardo na solidão desinfetada até que. No interior dessas bolhas macabras cheias de regras maníacas até que. Sentir tesão é a única liberdade possível para quem é viciado em listas e Protex.

Ele sumiu e voltou com um pelo loiro grudado no suor da testa. Seu pulso fedia a carne moída com almíscar. Ele colocou a música que dilacerava meu coração e só foi capaz de aumentar o som.

"Pode mandar em mim", pensei, quando me senti correndo bem rápido da minha gaiola. Ou ratoeira, nunca sei. Sempre que ser bicho vem, é tão novo que não sei encaixar as coerências. Me lanço inteira na ponta do meu indicador que se enfia em sua orelha. Vou até ele e esfrego o osso da minha bacia. "Quem é você?", ele diz, misturando raiva com delicadeza. Vou até ele e faço para cima e para baixo com a mão, por cima da calça.

Me derramar em cima de você não é ignorar as estratégias antigas e óbvias de sedução. É só porque realmente não cabe. Não tenho espaço suficiente dentro dos ossos para a espiral que você faz com a minha atenção. Vou entrando, aos poucos e continuamente, dentro dos seus olhos e boca e orelhas e nariz. Você me faria ir de ônibus até o Japão sem Rivotril e esse é o melhor elogio que eu poderia fazer a um homem que, por enquanto, só me olha e diz que também tem medo de ficar louco. Tudo porque seus buracos me chamam como se eu pudesse me esconder em você sem levar minha cabeça junto.

Estou livre, só por hoje, das listas mentais de tudo o que precisa estar certo e limpo e enquadrado. Eu que não bebo porque não gosto e porque não quero, misturo cerveja com vinho. Como maionese com sangue com manteiga com saliva de alguém que me devolve um copo que nem era meu. Chupo o restinho de batom numa bituca empretecida. Completamente desprovida de "regras para um sábado", experimento a tarde como se enfim pertencesse ao grupo de jovens normais que curtem porque assim é que se faz e ponto final.

Hoje não, martelo. Um dia sem repensar inúmeras vezes todas as coisas que ainda nem pensei. Eu tinha esquecido, com dois anos de antidepressivo, como é maravilhoso sentir eretos os cabelos menores do couro cabeludo. Sentir a febre atrás das coxas. Sentir a língua secar na raiz da língua. Sentir a planta do pé latejar. Controlar meus enormes e óbvios e expostos dentes. A dificuldade que é me manter moça apesar de descompensada e compulsiva. A angústia que é querer comer o mundo com uma fresta. O pavor de que não entendam e diminuam a beleza desse momento e, ao mesmo tempo, a total incapacidade em julgar a opinião dos outros mais importante do que sentir tudo isso.

Tem uma coisa que parece fome e que faz a gente sair pras ruas. Animais eretos e perfumados. Camadas de cabelo, camadas de roupa, camadas de salto, camadas de não. Tudo resguardando uma ânsia que nunca se sabe exatamente se é de pôr para dentro ou se é de pôr para fora. Daí a gente pede salada e fica cheia. Daí a gente perfila centenas de bolinhas de miolos de pão e segue vazia. E nada disso tem a ver com essa fome. Daí a gente segura firme o braço de uma pessoa.

Mas existem ainda esses momentos em que o oxigênio entra tão branco e gelado e de longe, que notamos, não sem saudade, quão medíocre e quente é nossa falsa segurança. Tenho agora um pelo na garganta, me fazendo tossir e achar graça. O pelo dele? O pelo loiro? Meu pelo? Estou rindo e tossindo desde as nove da manhã. Não tenho vontade de cuspir o pelo, de tomar banho, de separar os nós do cabelo, de tirar o disco do Caetano. Porque minha preguiça suja, a voz do Caetano e o ar que ainda guarda bem de leve o seu cheiro são os segundos finais do nosso encontro. É por causa de pessoas assim que eu não troco a tristeza da minha vida por nada.

A louca do jardim

Para onde vai o amor? De manhã preciso ir buscar um remédio para a minha mãe, depois tenho pilates e às quinze em ponto preciso entregar ideias para que o protagonista do filme fique menos caricato. Para onde vai o amor? Quero aparecer na sua agência, subir as escadas correndo porque essa pergunta precisa ser feita de peito ofegante. Para onde vai o amor? Você tem a apresentação de uma concorrência. E tem uma equipe, uma mesa, um lixo, um carro alto, um cabelo grande, um sobrenome importante, um quadro caro, uma ex-namorada top model, dezenas de garotinhas apaixonadas. Para onde vai o amor? Porque quando deitamos no chão da sua sala e você me perguntou: "quanto tempo você demora pra dizer que ama?". Porque quando a gente cantou: "*you ask me will my love grow?*" com as janelas do carro bem abertas. Porque quando você me mandou aquele e-mail dizendo que dormiu "pela primeira vez bem, em anos" quando me conheceu. Porque eu tinha uma escova de dentes aí e você tinha uma escova de dentes aqui. Para onde vai o amor? O que você fez com o seu? Deu descarga? O que eu faço com o meu? Daí eu te ligo, escondida no jardim da produtora em que estou trabalhando. Choro horrores. E te peço desculpas. “Sei que faz só um mês que estamos juntos, mas...” Por que você ficou frio e sumiu e esqueceu e secou e matou e deletou e resolveu e foi? E você diz que está trabalhando e eu me sinto idiota. Me sinto esfolada viva pelo mundo. Me sinto enganada por anjos. Me sinto inteira uma enganação. Porque a gente estava, sim, se amando, mas você correu para levantar antes a bandeira do “se fodeu, trouxa, o amor não existe”. Justo você que eu escolhi para fugir comigo das feiuras do planeta. Porque você me emprestava a mão vendo TV e queria fazer camarões fritos para mim e escondia as meias suadas quando eu chegava antes do que você esperava. E você me perguntava o tempo todo se eu percebia como era legal a gente. E então, só para fazer parte da merda universal de toda a bosta da vida, você se bandeou para o lado do impossível e se foi e me deixou como louca, escondida no jardim da produtora, chorando, te perguntando para onde foi o amor. E você riu e disse: “mas eu só estou fazendo minhas coisas”. E eu me senti idiota e louca e chata, e isso foi muito cruel ainda que seja tão normal. Normal não me serve não encaixa não acalma. E eu achei que nós podíamos ter uma bolha nossa para nos proteger do lugar-comum do mundo mediano adulto das pessoas que riem e fazem suas coisas. E tudo ficou feio, até você, que é lindo, ficou feio. E eu quis fazer cortes em mim. E todo mundo me olhando, rindo, fazendo suas coisas. E daqui a pouco eu rindo e fazendo minhas coisas. E no fundo, abafado, dolorido, retraído, medicado, maduro, podre: onde está o amor? Onde ele vai parar? Onde ele deixou de nascer? Onde ele morreu sem ser? Porque eu sigo fazendo de conta que é isso. As pessoas seguem fazendo de conta que é isso. E por dentro, mais em alguns, quase nada em outros, ainda grita a pergunta. O mundo inteiro está embaixo agora do seu lindo e refinado e chique e rico prédio empresarial de milionários. Gritando nas janelas, batendo nas portas, te tirando da sua reunião: o que você fez com o amor? Esse dinheiro todo, essa responsabilidade toda, essas pessoas todas que você quer que te achem um homem. E o amor, o que você fez com ele? Enfiou no cu? Botou na fragmentadora de papel? Reaproveitou a folha para escrever atrás? Reciclou? Remarcou para daqui a dois anos? Cancelou? Reagendou o amor? Demitiu o amor? É o amor que vai te fazer ser isso tudo, e não isso tudo que você usa para dar essas desculpas para o amor. Porque quando eu sentei no cantinho da cama e você leu o livro de poemas da sua infância. Porque quando você ficou nervoso porque queria me dizer que naquele minuto não estava me amando porque você acha que amor é isso além do que você pode. Amor é só o que você já estava podendo. O que você fez com esse pouco que virou nada? Com o muito que poderia virar? Eu aleijada, engessada, roxa, estropiada, quebrada, estou na porta, te esperando, por favor, me ensina o que fazer, vou fazer o mesmo com o meu. Vou mandar junto com o seu. Nosso amor para o inferno, longe, explodido, nada. E a gente almoçando em paz, falando sobre a temperatura do dia e as pessoas do mês e o filme da semana. Bela merda, isso tudo, bela merda, você, bela merda, eu, bela merda, todos os sobreviventes que riem e fazem suas coisas e almoçam e falam de filmes. E por dentro o buraco gigante preenchido por antidepressivos, ansiolíticos, cervejas, maconha, viagens e mais reuniões. Para onde foi o amor? De pé seguimos para nunca saber, para nunca responder, para nunca entender. Você dormindo com seus cachinhos virados para o meu nariz, você fazendo a piada dos ombrinhos mais altos e mais baixos para tirar sarro dos homens artistas e burocráticos, você por um mês e tanto amor. E agora nada e você nada e tudo nada. O amor no planeta das canetas Bic que somem. O amor mais um como se pudesse ser mais um. O amor da vida de um mês. Você com medo de ser mais um e você único e tanto amor e tão pouco tempo. O que você fez com ele para eu nunca fazer igual? Eu prefiro ser quem te espera na porta para entender. Eu prefiro ser quem te espera na outra linha para entender. Eu prefiro ser a louca do jardim enquanto o mundo ri e faz suas coisas. A ser quem se tranca nessas salas infinitas suas para nunca entender ou para fingir que não sente ou para não poder sentir ou para ser sem tempo de sentir ou para ser esquecido e finalmente para não ser.

Quiche com salada

O grupo de Whatsapp chamava-se Almoço de Páscoa e comunicava algo como "as quiches são com a gente, as saladas são com a gente, o resto é com vocês". *O resto!* Estava na cara que era putaria, né? Se fosse vinho, diriam "vinho". Se fosse sobremesa, diriam "sobremesa". O resto... era putaria. Vesti saia comprida rodada porque estava bem naquela semana, estava solar. Quando fico solar, acredito que posso ser um pouco hippie. Depois passa (graças a Deus). Eu tinha um namorado treze anos mais velho e isso prometia uma vida maravilhosa para mim. Uma vida cinco em um. Namorado mas também pai, professor, mestre e mentor. O namoro duraria cinco semanas porque, eu viria então a descobrir, ele era chato e tinha problemas de intestino.

Eu havia parado com o antidepressivo Escitalopram que, apesar do nome, não me deixava ficar excitada nem com sessenta e sete casais transando ao mesmo tempo. E não digo isso porque estou inventando um número qualquer, trata-se de um vídeo pornô japonês que esse mesmo grupo Almoço de Páscoa tinha mandado para mim semanas antes. Eram sessenta e sete casais japoneses transando ao mesmo tempo num parque ensolarado. Fazia um ano que esse grupo tentava me chamar para um desses almoços, sempre com um papo de "galera do cinema descolada, pra falar sobre a vida", mas eu nunca ia porque não conhecia ninguém (e porque as pessoas de cinema que estão de fato fazendo cinema não perdem tempo andando com gente descolada, e para falar sobre a vida eu só acreditava pagando a alguém que tivesse estudado muito).

Mas, como dizia, eu tinha parado com o antidepressivo fazia cerca de três meses, tempo suficiente para que não tivesse sobrado nadinha no meu sangue. E estava numa fase estranhíssima, sentindo tesão até em boneco de posto.

Parar de tomar um remédio que havia me transmutado num legume sexual me devolvia agora um ânimo juvenil que nem na mais tenra adolescência experimentei. Eu era um garoto de quinze anos que dividia as emoções do mundo entre "livro merda de geografia prova amanhã" e "qualquer pele encostada em mim me fará contorcer de amor". Foi quando por fim topei ver qual era a da galera das quiches e saladas. Magra, entediada de morte com a vida sexual comezinha da moça urbana falsamente ousada, e pronta para viver aquele momento.

Ao chegar ao grande evento, uma decepção: as meninas realmente estavam na cozinha lavando as saladas. Vestidas. As meninas que ainda chegariam, realmente trariam quiches. E elas viriam vestidas. E pretendiam continuar vestidas. O vinho que levei realmente foi aberto, e "era exatamente o que queria dizer 'o resto é com vocês'". Os rapazes conversavam na varanda sobre "que tipo de música eletrônica ainda dá pra encarar", enquanto o mais feinho deles atacava de DJ usando o Bluetooth do celular. Então era só isso? Pessoas fofas fazendo amigos e saladas e quiches? Vamos ouvir sucessos dos anos 1980 e rir "das coisas que lembramos"? Calma, quando eu menos esperava, a coisa toda começou.

Como eu consegui entrar na Globo? Mandei só currículo ou fiz alguma oficina de roteiro lá dentro? E o primeiro filme? Vendi o argumento ou me encomendaram a partir de uma sinopse? E livro? Que editores eu conhecia? Eu poderia ler "um livro" da esposa talentosíssima e depois indicar? Ela não veio hoje, mas mandou dizer que me adora. E no jornal, quem eram meus contatos? Eu poderia ler os textos do marido da esposa talentosíssima e indicar? Achei que meu corpo seria usado de forma louca, perigosa e psiquiatricamente inesquecível, mas era só uma galera desempregada querendo usar minha agenda. Tem coisa mais podre e degradante?

Mas aquilo não ficaria assim. Eu tinha feito laser nos pelos mais intrínsecos dos grandes lábios, veja, achando que seria uma noite longa. E os caras vêm me pedir contato profissional? Aquilo despertou em mim uma sede de vingança ainda maior que a libido desenfreada com que eu estava tendo de lidar naqueles dias.

Forjei então o mais sincero amor verdadeiro por todas as pessoas lá presentes. E comecei a pegar no cabelo delas, no joelho delas. Eram desempregadinhos tão bonitos, tão cheios de esperança, tão limpos. Acho que mordi mesmo o ombro de uma das moças, agradecendo a taça que ela me trouxe. E então propus uma brincadeira. Uma coisa leve, despretensiosa, só para a gente se conhecer mesmo, todos ali, na paz de Cristo. Vai que, se eu gostasse de alguém, depois ajudava na carreira, né?

A gente viraria a garrafa, como no jogo da verdade, mas, em vez de "pergunta e responde", seria "manda e obedece". Assim: Juju pede a Maria uma mordiscadinha na biqueta, Maria mordisqueta; Daniel pede a Maria uma lambidinha libidinosa na orelha, Maria lambelha; Maria pede a Daniel um tapinha na bunda, Daniel estabunda. Enquanto ainda estavam tímidos, era eu a dar as ordens que eles dariam. Era eu a colocar fala na boca daqueles personagens tão bonitos e limpos e desempregados.

E assim, tomados por álcool e pela energia inebriante do meu "descompensamento" químico, os desempregados todos começaram a transar muito, enquanto eu só observava. Quando "dei por mim", estava numa poltroninha e na minha frente, num pobre sofá branquinho, uma quantidade infinita de possibilidades "buracais" se expressava. Um dos desempregados tentou me puxar pelo pé, como um morto que não desiste, mas um braço perdido, do epicentro do amor amorfo, puxou o desempregado para dentro.

Não deixei que me tocassem, não deixei que tirassem minha roupa. De mim não levaram um só número de telefone ou nome de "pessoa influente". Nunca li nenhum texto deles. Nunca os indiquei a ninguém. Como era eu a rodar a garrafa, fiz de um jeito que ela nunca apontasse para mim. Nas poucas vezes que quase apontou, enganei a todos, me movendo centímetros ou dando um imperceptível peteleco na garrafa. Era fácil enganá-los. Tão bonitos e limpos e desempregados.

Uma hora

O voo é às treze horas. Tenho que acordar às nove porque há quatro dias já estou fazendo a conta: uma hora antes chegar ao aeroporto, uma hora antes de chegar ao aeroporto, sair de casa. Uma hora antes. Começar a me arrumar e arrumar as coisas. Uma hora antes de tudo, uma hora. Porque, com sorte, antecipo uma hora o voo e, chegando uma hora antes ao Rio, deito um pouco na cama do hotel antes de ir à reunião. E descanso uma hora. Ter *uma hora* é palpável. É como ter um amigo chamado Uma Hora que é gente finíssima, sereno e absolutamente dedicado até que, uma hora depois, ele pega sua maletinha de ar e vaza, me deixando acompanhada apenas do Vício, um magrelo com a pele ruim que me diz: "se você correr muito, pode *ter uma hora* de novo". Uma Hora é a puta que eu pago só para ficar dizendo no meu ouvido: "tudo bem, eu tô aqui". E: "você ainda tem uma hora para eu ficar te sussurrando que você ainda tem uma hora".

Eis o gozo supremo do neurótico: ele está indo tão bem com sua vida, que lhe foi cedida por alguma divindade suprema uma hora. Ele está em controle tão pleno e absoluto de sua existência de cidadão bem enturmado com a sociedade, que ele não só tem emprego, cônjuge, agenda, cachorro e linhaça. Ele tem tudo isso e ainda *uma hora*. No avião (que antecipei apenas meia hora, porque a outra meia hora eu perdi em dez vezes de três minutos em que fiz coisas "mais lento do que o esperado" ou apenas fiquei catatônica pensando em como ter tempo) faço uma lista mental de tudo o que posso fazer na meia hora anterior à reunião: almoçar e escovar os dentes; banho rápido e cochilada; chegar antes para puxar o saco do chefe e cocô; me matar e comprar chicletes (não nessa ordem); desistir da reunião e inventar uma desculpa; pensar em sexo e mandar uma mensagem "como vai?" para a minha mãe (sempre quando em intenção de desfrute, seja solitário ou numa relação, seja de amor ou frugalidade, eu lembro que deveria "usar meu tempo com coisa melhor", como dar amor a quem me criou — mas sempre faço a opção pelo carnal, pois sou adulta e é isso que se aprende na terapia: ser adulto é transar em vez de pensar na mãe).

Tirar o esmalte e curtir vídeo de bebê com cachorro; morrer e desistir de morrer (só possível mentalmente, mas noventa e oito por cento da minha vida só é possível mentalmente, então não quis pular essa possibilidade). Ainda posso fazer um mix escolhendo uma opção de uma frente binária e outra opção de outra frente binária. Escolho banho e lanche rápido. Lanche rápido não tinha, né? Só tinha almoçar. Mas faço de propósito, porque acho ridículo ter que fazer algo só porque planejei isso há uma hora. Ou há duas horas. Ou uma hora e uns quebrados, apesar de os quebrados me angustiarem um pouco. Daí, porque interrompi o jorro da obsessão, sei que tenho uma hora, até começar tudo de novo. Essa uma hora, diferente da uma hora que batalhei e me foi dada por mérito, eu roubei e me foi dada por mau comportamento. Gosto das duas, igualmente. Assim como gosto igualmente do oposto de tudo aquilo de que gosto. Em suma, eu não deveria ter parado com o remédio. E superdeveria. Só tenho um segundo agora.

O desmame

Eu poderia não me abaixar para pegar o fio de cabelo no piso branquinho do banheiro. Mas ele começa a falar comigo: "então você pretende mesmo seguir com seu dia como se este piso branquinho não estivesse maculado com esse fio de cabelo? Do seu cabelo, da sua sujeira velha, da morte do sebo da sua cabeça? Você quer mesmo que seu marido e sua empregada e sua amiga e sua cachorra convivam com a sua finitude?".

Eu poderia parar, mas não é o caso. Poderia não pegar outro quadradinho do chocolate. Não é nem pelo prazer, é para "fazer parar". Acabar com o chocolate para que eu não fique com o pensamento apitando: "tem lá um chocolate". Acabar com a paixão para que eu não fique com o pensamento "tem lá uma paixão". Aniquilo qualquer possibilidade pequena porque pequeno me irrita. É o anão do David Lynch dançando para causar estranheza... bom em filme, mas no meio da minha sala não quero agora.

Um saco de bolinhas de gude. Não posso perder nenhuma. O saco está bem amarrado com um barbante e eu o carrego com as duas mãos fechadas, apertando, suando. Eu sou aquela quantidade de bolinhas do saco e por isso não posso abrir, não posso romper, não posso afrouxar, não posso perder, não posso ser roubada, não posso dar, não posso ganhar. Eu sou as setenta bolinhas independentes e desmembradas e não sou jamais uma a menos. Nem a mais. Esse é o medo. De me esparramar pelo mundo e nunca mais saber do que sou feita.

Não sei quem mora aqui. Não tenho ideia do tamanho. Só tenho medo. Muito medo. Medo de, de repente, assim, num fim de tarde qualquer, morder alguma canela ou sair correndo de quatro. Não sei.

Medo de comer demais, dormir demais, cagar no meio da rua, latir. Morrer de repente. Medo de o corpo não aguentar o tamanho. Medo de alimentar demais o bicho, perder forças para ele. Deixar que ele ganhe de mim, arrebente a coleira.

Não sei que bicho é. Não sei se é manso. Só sei que evito tudo. Beber, fumar, amar, me drogar, sonhar, viajar, passar muito tempo longe de casa, perder o controle, vomitar, virar do avesso, olhar para ele. Eu não posso perder o controle porque não sei o tamanho do meu bicho.

É tanta raiva, eu sei. Meu bicho perdeu a data da vacina. Um corpo 52, pés 33 e mãos menores que as do meu primo de dez anos. Isso é tudo o que eu tenho contra ele. Esse é o tamanho da jaula que arrumaram para a fera.

Como pouco, sinto pouco, nado raso, amo o superficial, bebo só as beiradas, belisco a vida. Tudo para me manter imaculada. Tudo para sentir o mínimo possível o mundano das coisas. Tudo para ser quase desumana de tanto negar a vida. Para negar minhas vontades de bicho. Para jamais me lembrar dele. Eu sempre fico com fome, eu sempre acordo antes de o sono acabar, eu sempre paro antes de o peito arrebentar, eu sempre sento antes de a pressão cair, eu sempre tenho prazer antes de sentir prazer. Eu sempre vou até onde é seguro. Eu tenho medo do meu abismo e da soltura do meu bicho. O que ele pode fazer comigo? O que ele pode fazer com você?

Tenho medo do meu bicho. Medo de ir seja aonde for. De nunca mais voltar. De esquecer quem eu sou. Medo de gritar bem alto no meio do restaurante. Chutar carros. Rasgar contratos. Uivar para a lua. Dar o bote. Matar ou morrer por uma questão de sobrevivência. Ranger os dentes. Babar. Enfurecer os olhos. E ligar para aquela amiga falsa e mandá-la à merda. Ela e sua pose de merda. E mugir aos ponderados tão bem penteados. E encontrar o garoto-sorriso e picar de verdade o seu peito. Fazer ninho em seu coração. Até sangrar. Até que eu possa cantar ali dentro. Para ensurdecer o seu batimento. Quero ganhar sem educações e civilidades.

Eu tenho medo do tanto que ele rumina. Do tanto que ele jamais perdoa. Ele guarda um mundo de rancor em seu corpo pronto para atacar. O tempo todo. Meu touro pronto a sair chifrando o mundo. Expirando diante de gente que torce contra e a favor. Tenho medo de que meu bicho seja frágil e morra. E de só me restar uma casca, um plástico, uma vida oca.

Talvez eu seja injusta. Talvez ele seja apenas um cão de guarda me guiando cega pelo mundo. Talvez um pássaro louco para sair voando. Mas tenho medo. Não quero ver a cara dele. Tenho medo de ele esquecer que tenho amigos, empregos e gente me julgando o tempo todo. E me fazer bicho. Me fazer implorar carinho, comida, colo. Medo de ele andar com o cu por aí, sem roupa, mostrando meu lado sujo para quem quiser olhar. Medo de ele avançar, atacar, assustar. Medo de ele me comer por dentro e eu sucumbir.

Medo de eu me descontrolar. Calma, Monga! Calma! E virar a mulher-gorila. E quebrar a jaula e afugentar todo mundo. "A Tati é louca. A Tati é estranha." Que medo de ser louca. Que medo de ser estranha. "Ela brigou com o namorado, a amiga, a mãe, o chefe, a empregada, a atendente da NET. Ela foi embora antes da hora, ela disse o que sentia, ela fez cara de que estava tudo uma grande merda." Calma, Monga. Calma! E quem não briga, quem não é verdadeiro, em lugar de bicho tem o quê? Câncer? Ninguém escapa dessa vida. Nem quem medita. Nem quem compra a maior e a melhor coleira do universo. Ninguém escapa. Nascemos bicho, morremos bicho e passamos a vida com medo de saber que bicho somos.

Tenho medo de ele ser mais forte que eu. Tenho mais medo ainda de ele ser mais fraco. Mas pavor mesmo eu tenho quando é ele quem está com medo. Medo de ele entrar em parafuso e eu parecer uma aberração. Solta por aí. Se mijando, se cagando, se vomitando, dizendo que ama, que odeia, sentindo coisas que não parecem muito humanas e ao mesmo tempo são as que nos dão alguma humanidade. Pedindo abrigo, pedindo comida, latindo, mugindo, miando, relinchando, coaxando, urgindo, vendo o mundo de quatro, arregaçada no chão, com as tetas inchadas, a barriga para cima, por um pouco de segurança. Um pouquinho só.

E ele com medo é lama na certa. Ele me maltrata, pula em mim, rouba minha fome, me martela o cérebro latindo mais alto que tudo, arranha meu peito, caga no meu caminho, mija nas minhas certezas... Só sossega quando volto para casa, para o equilíbrio, para o centro, para o seguro. Até que eu seja eu novamente. Até que ele possa me soltar para que eu esqueça dele aqui dentro e dos outros lá fora. E siga a dura vida dos bípedes com dores nas costas e dentes grandes.

Você não está sozinho

Na minha primeira viagem romântica com o meu marido, tive intoxicação alimentar depois de comer peixe estragado. Se você já passou por isso, sabe que "peixe estragado" é eufemismo para "uma morte lenta, humilhante e terrível". É como ter ebola, só que com uma pequena chance de sobreviver.

Fazia apenas cinco semanas que estávamos namorando e a intimidade beirava o número zero. Nossos corpos, ainda tão resplandecentes e inéditos um para o outro, serviam somente para o júbilo e a descoberta.

Estávamos na pousada mais fofa e romântica de Petrópolis e era noite de Ano-Novo. Trocamos juras de amor durante os fogos, mas exatamente à "meia-noite e cinco" eu senti meus órgãos fazendo uma passeata dentro de mim, um manifesto pela liberdade. Intestinos, rins, fígado, estômago, todos cansados de pertencer a um só corpo, queriam independência ou morte. Corri para o banheiro como se fosse a última coisa digna que eu faria antes de inexistir pela eternidade.

Durante duas horas, minha derrocada alternou o vaso com

o bidê com o chuveiro com a pia e com o chão (alguns desmaios). Foi quando meu namorado, até então um príncipe misterioso, começou a esmurrar a porta e eu lembrei que ele também tinha comido o peixe e... Prefiro poupar os leitores dos relatos que viriam a seguir, pesados demais.

Pois bem, já fazia uma década que eu tentava resolver o problema "meus namoros só duram três meses", e tive a certeza de que aquele não chegaria nem até a manhã seguinte. Mas, para minha surpresa, acabamos indo morar juntos meses depois, e estamos juntos até hoje. Acho que inutilizar, da pior maneira possível, um banheiro de pousada na virada do ano me trouxe sorte.

Minha ânsia em controlar tudo o tempo todo sempre fez de mim o tipo da mulher "ensaiada". Eu nunca saí com um rapaz sem estar com a depilação perfeita, o hálito perfeito, o cabelo perfeito, as unhas perfeitas, as pesquisas "sobre os assuntos que ele mais gosta" devidamente feitas. Eu nunca chamei um rapaz para vir em casa sem antes perfumar almofadas, deixar tudo muito bem-arrumado e limpo, velas, disco de jazz na vitrola, uma meia-luz safadota nos esperando no chão do quarto. Fui casar justo com o moço que segurou minha testa para que eu, pela décima vez, concluísse: "já é bile, não tem mais o que sair".

Juntamente com esse mal-estar, o pior da minha vida, tive uma crise terrível de pânico. "E se eu tiver que tomar soro no hospital de Petrópolis e a agulha não for descartável? E se a enfermeira estiver puta que 'está trabalhando no Ano-Novo' e me injetar aids? Tem hospital bom em Petrópolis? A galera tem aids em Petrópolis ou são todos velhinhos bonzinhos? O helicóptero do meu plano de saúde chega até aqui? Eu tenho direito a resgate de plano de saúde? E se eu vomitar amanhã e depois de amanhã e morrer, porque sei que vomitarei até morrer? E se meu namorado morrer e não puder me ajudar e eu tiver que carregar o corpo dele sem ter forças para tal porque, no caso, também estarei morta? E se eu já contraí um lance gravíssimo do peixe estragado que comi e morrer sentindo a pior dor da história e longe dos meus pais e sem poder dizer adeus? E se eu para sempre me sentir assim e preferir morrer a me sentir assim mas estiver fraca demais para pular da janela? E se a senhora bem idosa que é dona desta pousada cismar de me levar para o hospital e a gente sofrer um acidente na estrada porque ela não tem mais condições de dirigir?" Pedro me ouviu conjecturar, chorando, todas essas coisas, até quatro da manhã, e não deixou de me amar.

No dia seguinte, enquanto tomava chá preto com bolachinhas de água e sal, olhando para as montanhas e sentindo a honra voltar aos poucos como uma brisa fina de fim de tarde, criei no Whatsapp um grupo chamado Vexame e adicionei algumas amigas que, assim como eu, têm pavor de vomitar.

Uma delas, a Simone, me ligou chocada, querendo os detalhes. Contou que não sabe data de aniversário das amigas, nome de filhos das amigas, mas guarda a história de "vomitadas" de todos. Ela lembrou, em menos de cinco minutos, vinte cenas de filmes em que o personagem passa mal, mas não lembrava os títulos dos filmes. Eu ri tanto com ela, tanto... que desatei a chorar. De felicidade, de alívio, de emoção. Eu não estava sozinha no mundo. Eu poderia passar mal e ser fóbica e passar ainda mais mal por ser fóbica, que eu teria um namorado que me amava e uma amiga figuraça que me entendia e me fazia gargalhar.

Meu amigo, se você é bizarro, saiba três coisas. (E lá vem momentinho autoajuda, péssimo, mas...) Uma: você não está sozinho. Duas: você é um cara legal, pode acreditar. Três: as pessoas rasas são mais felizes, mas elas nem sentem isso de verdade porque são rasas, então não vale.

Parar com a porra toda

Escolhi este capítulo para ser o último a fim de dar um aspecto de conclusão, de final feliz, ao livro. Estou há cinco meses sem nenhum remédio. Nada. Sem antidepressivo, sem tarja-preta, sem Dorflex, sem Miosan, sem Dramin. É importante dizer que, dependendo da tensão da semana, eu tomava mais Dorflex do que banho. Parei com a medicação depois de participar de um programa ao vivo na TV. Crente que tinha "mandado bem", ao chegar em casa me deparei com um climão. Meu namorado desconversou, minha mãe não me atendeu, meu pai "se deletou" do Whatsapp. "Fala a verdade, Maria, eu não tava bem?" Maria aumentou o rádio e seguiu lavando o banheiro.

Procurei o vídeo no Youtube e fiquei chocada. Eu estava completamente drogada em rede nacional. Não que isso seja mais grave do que estar completamente drogada na vida real, andando na rua. É que "não estar bem" documentada em cores e sons torna a coisa toda muito mais séria e concreta.

Eu falava em cima das outras pessoas, jogava a testa para a frente como se fosse cabecear uma bola imaginária e fazer um gol contra. Ficava um pouco vesga, não controlava os lábios e mostrava os dentes "à toa": o povo falando sobre "falta escola pras crianças em tal cidade do interior de Roraima", e eu querendo rir porque estava olhando para uma menina da plateia que subia o bojo do sutiã toda vez que o público aparecia no telão. Comecei a achar aquilo irrefreavelmente hilário e, quando a pauta mudou para "violência em casa: desrespeitar a mulher com palavras também é crime", eu já estava roxa de tanto segurar a gargalhada. Não me contive e apareci rindo na tela, com a legenda: "ele estupra minha autoestima diariamente".

Parei com o Efexor porque estava sete quilos acima do meu peso, inchada, embotada, respondendo "tudo ótimo" quando me perguntavam o que quer que fosse. Parei com o Rivotril porque numa mesma semana saí com cara de "tomei cinco garrafas de vinho e vim assinar uns livros pra essa gente maravilhosa" nas fotos de duas matérias que tentavam fazer uma boa crítica a um livro meu. Parei com o Dorflex porque comecei, talvez por abusar desse medicamento, a ter crises de gastrite e pressão baixa que me levavam a misturar Magnésia Bisurada com sal e chá. Vamos combinar que magnésia, sal e chá não era exatamente onde eu queria estar aos trinta e seis anos.

Então, às dez da manhã de uma terça-feira, resolvi parar com tudo. Eu estava livre, eu estava incrível, eu seria magra, eu voltaria a sentir emoções fortes, eu voltaria a ter um orgasmo em menos de sessenta e sete horas tentando ter um orgasmo. Tudo daria muito certo. Eu controlaria os sintomas com meditação, corridas num parque perto de casa e gotinhas de remédios antroposóficos.

Às cinco horas da tarde do dia seguinte, eu não conseguia andar. Era como se no topo da minha cabeça houvesse um buraco e por esse buraco forças malignas tivessem sequestrado meu cérebro e meu espírito. Eu tinha certeza de que, se alguém subisse numa mesa e me olhasse "de cima", veria a sola dos meus pés através do buraco. Não haviam deixado nada ali, só uma carcaça.

Eu sentia uma decepção profunda com todas as pessoas, era quase uma mania de perseguição. Meu dentista me fodeu, minha dermato me fodeu, meu namorado me fodeu, minha mãe me fodeu, a Globo me fodeu, o produtor do meu filme me fodeu, o editor me fodeu, meu porteiro me fodeu. Havia um complô terrível contra a minha frágil pessoa. Contra a pessoa tão boa e sensível que era eu. Que mundo injusto.

Pensamentos intrusivos forçavam a porta da minha cabeça como se estivessem desesperados para chegar logo em casa e já tivesse passado das cinco da tarde. Eu era inteira uma hora do rush de pensamentos buzinando, querendo entrar, empurrando-se. Eram pensamentos muito malucos, que me mandavam regar de novo a planta, ver de novo se eu havia trancado a porta, mudar de novo a disposição do tapete do banheiro. Pensamentos que me mandavam perguntar de novo à advogada "se aquela cláusula queria dizer mesmo aquilo, porque eu estava com uma sensação estranha de que na verdade aquilo tudo queria dizer outra coisa que estava velada a mim porque eu não tinha estudado pra entender de cláusulas mas ela sim, então ela que visse direito e não fosse mais uma a querer me foder".

Pensamentos que me mandavam ficar em casa porque São Paulo é a nova Faixa de Gaza e o Rio pior ainda e as ruas são tão imundas e carro dá enjoo e esses copos e talheres e pessoas e purê de batatas, tudo pode dar muito enjoo. Melhor ficar em casa. Pensamentos que diziam que eu poderia vomitar a qualquer momento, ter uma diarreia a qualquer momento, sangrar a qualquer momento, sofrer uma queda violenta de pressão a qualquer momento, ficar descontroladamente muito triste a qualquer momento, então melhor ficar em casa. Pensamentos que diziam que eu deveria combinar com aquela pessoa em minha casa. Pensamentos que diziam que era melhor que eu desmarcasse tudo com todas as pessoas, porque eu ainda não tinha regado as plantas direito.

Levei a maior dura do psiquiatra: "não se para com nenhum antidepressivo de repente. E muito menos com Efexor, que é muito ruim de parar". Combinamos então que eu faria o desmame em dois meses. Primeiro diminuindo, depois espaçando as doses. Até que um dia não tomaria mais nada. E esse dia, comemoro hoje, foi há cinco meses.

Acho que um dia vou voltar a tomar remédios. Esse dia talvez seja amanhã, porque pego logo cedo um avião para o Rio. Esse dia talvez seja hoje, porque amanhã pego logo cedo um avião para o Rio. Mas achei importante encerrar o livro dizendo que parei de tomar remédios. Faz cinco meses que posso dizer todos os dias: "só por hoje, não tomei nada".

Até pensei em colocar aqui dados de pesquisas, feitas por universidades incríveis, sobre consumo de remédios no mundo. Tipo "segundo um instituto muito fodão numa cidade norte-americana com institutos muito fodões, o Rivotril é o segundo remédio mais consumido nos países de Terceiro Mundo, só perdendo para o Dorflex; o segundo mais consumido nos emergentes, só perdendo para um pó que se mistura na água quando gafanhoto frito der azia; e o terceiro mais consumido em países como a França, que se acha pra cacete a ponto de achar que vinho cura qualquer coisa". Mas eu não sou uma pessoa com saco para isso.

O que posso dizer, vendo boa parte da minha família e amigos e casos amorosos viciados em antidepressivos e tarja-preta, é que essa coisa entrou em nossas casas como novela da Globo mas nem por isso é boa, exatamente como novela da Globo. Minha mãe já não lembra o que ela fez há cinco minutos, que foi se perguntar o que ela havia feito cinco minutos antes. Meu melhor amigo, o Paulo, tentou parar e no quarto dia esmurrou almofadas para tentar dormir. Ninguém está bem. Outro dia, num restaurante com amigos, cada um mostrou seu tarja-preta preferido para a gente bater uma foto. *Todos* os oito ali estavam medicados.

Ontem eu dirigia pela Vila Madalena, eram mais ou menos duas da tarde, e no rádio começou a tocar Roxette, "Listen to Your Heart", e eu aumentei muito o volume e cantei muito. E, não contente, quando cheguei em casa, botei a música bem alto. E eu precisei dançar e ameacei uns passos de balé com malsucedidos espacates. E bradei ao teto do apartamento, mãos em forma de "murro com muito sentimento". E percebi que eu estava realmente muito feliz naquele momento completamente sem sentido. E *muito* feliz eu não ficava desde que tinha decidido parar de ficar *muito* triste ou *muito* ansiosa ou *muito* qualquer coisa. E desistir de ficar muito qualquer coisa era desistir de *muitas* coisas boas. Então eu achei bom ter parado com os remédios. E acho importante terminar o livro dizendo isso.

Voltei a chorar ao ver filmes bobos, voltei a ter síncopes lacrimais ao ver filmes não tão bobos, voltei a chorar ao ver moças grávidas felizes, chorar com notícias ruins do jornal, chorar ao ver vídeos de cachorros "que se emocionam ao ver o dono", chorar porque vamos todos morrer, chorar porque, pelo amor de Deus, está puxado, chorar apenas por chorar. E, por incrível que pareça, eu estava com muita saudade disso. O embotamento consegue ser muito mais triste do que sentir tristeza.

Eu posso voltar a tomar remédios daqui a dez minutos, mas o fato é que neste minuto estou muito bem. Na real não estou muito bem, para falar a verdade estou até meio mal, mas estou um tanto mais parecida comigo.

1ª EDIÇÃO [2016] 7 reimpressões

ESTA OBRA FOI COMPOSTA EM MINION PELO ESTÚDIO O.L.M./ FLAVIO PERALTA
E IMPRESSA EM OFSETE PELA GRÁFICA BARTIRA SOBRE PAPEL PÓLEN BOLD
DA SUZANO S.A. PARA A EDITORA SCHWARCZ EM JUNHO DE 2021

A marca FSC® é a garantia de que a madeira utilizada na fabricação do papel deste livro provém de florestas que foram gerenciadas de maneira ambientalmente correta, socialmente justa e economicamente viável, além de outras fontes de origem controlada.